漢字ハカセ、研究者になる

笹原宏之

岩波ジュニア新書　950

はじめに

皆さんの周りに、「漢字博士(ハカセ)」はいませんか?

クラスにいるかもしれませんし、テレビで観たかもしれない。いや、あなた自身がそう呼ばれているかもしれません。たくさんの漢字を知っていて、難しい字でもきちんと書くことができる人のことですよね。きっと漢字という文字に対する適性があって、漢字に詳しくなるきっかけに素敵な人や本との出会いがあったりしたのでしょう。

その一方で、「文法博士」は、クラスにも学校内にもまずいないでしょう。しかしじつは、職業としての「漢字研究者」、別名「漢字学者」は見付けるのが大変ですが、「文法研究者」や「文法学者」はたくさんいます。このねじれは、何なのでしょう?

漢字は字の種類がたくさんあり、読み方や使い方もさまざまで、歴史や決まりごとなど知っておかないといけないことも多く、一般化、法則化をするのが難しいからかもしれません。漢字は一字一字に表情があり、個性の強い文字なので、研究の対象として客観的に見つめようとすることをはばむ面があるようです。

じつは私も、「漢字博士」と呼ばれる子供でした。現在は、早稲田大学で教員をしています。日本語や漢字などについて真実を知るための研究をし、それに関する教育にもたずさわっています。また、その研究を充実させたり研究成果を反映させたりして世の中に普及させるために、辞典や教科書の編纂もしています。

そして、たくさんある漢字を無理なく使えるものにするため、必要度の高い字を選び、その使い方の規則を整備して広めることもあるのですが、そうした政策を作る会議に呼ばれればそれに関わります。さらに新聞、書籍、テレビやウェブなどのメディアから依頼を受けると、そこでも研究成果を伝えるなどの普及活動を行っています。

ところで、私は今でも「漢字博士」と呼ばれることがありますが、じつは漢字博士という学位（学術的な能力や研究業績に対して与えられる称号）は、日本にはありません。中国や韓国でも見かけません。世界的にも正規の学位としては存在しないと思います。

昔は、漢字学者の中には、対象が広い印象を与える「文学博士」という学位をもつ人がいましたが、今ではそれもなくなっています。「博士（文学）」という、かっこ付きの学位しかないのです。このかっこの中にはさまざまな学問分野の名前が入るのですが、「博士（漢字）」

は、冗談でしか聞いたことがありません。ほかにも、昆虫のことなら何でも知っていそうな「昆虫博士」や、電車や駅名のことならまかせてという「鉄道博士」、「恐竜博士」、さらに「妖怪博士」なども、正式な学位としては存在していないのです。

この本では、昭和四〇年に東京で生まれた笹原少年が、さえない生活の中でなぜ漢字を好きになり、難しい字や聞き慣れない用語を覚えるようになっていったのか、どんなきっかけで夢のまた夢だった研究者への道を歩んでいったのか、半世紀ほどの記憶の欠片とメモの断片をもとに書いていきます。何か参考になることがあればと、私が昭和の後半から平成の終わりそして令和の初めまでの時代を過ごす中で体験した、その折々の漢字にまつわる激しい動きと時代相についても、あわせて書いていきたいと思います。

「将来、研究者や専門家になりたい」という漠然とした願いをもっている皆さん、あるいは教授や教諭など先生になりたいという夢をもっている皆さん。自分はどこにでもいる凡人のような気がするけれど、あるいはかなり変わった人のような気がするけれど、この先大丈夫なのかな？と感じている皆さん。だれであっても、読み進めながら、ご自身の今と重ね合わせて考えをめぐらせ、夢を目標に変えて実現させていってもらえれば、と願っています。

目次

1

蛸(たこ)と鮹(たこ)

――マンガのタコと辞典のタコ

人生最初に書いた漢字が、「誤字」！

幼稚園(ようちえん)に通っていたころ、先生がひらがなを教えてくれました。その時、五十音図の最後の「ん」を「うん」とはっきり読んでいて、皆も反復して「うん」と読みました。ですが私は、「う」は「う」の字の読みであって、「ん」に二字ぶんの読みなんかない、と確信して力を込めて「ん」と読み続けました。

その後も、しりとりをしていて、「ん、で始まる単語がある」と言って「うん」で始まる単語を言う子がいた時など、それは違うだろうと思ったものです。また、「うん」の否定形を「うん」と書くことの多さ、「ン十年」という文字列を「うんじゅうねん」と読む人の多さにも、同じ理由で不満を感じました。一般の人たちは発音について言いやすさを優先させたり、他の人と同じように考えようとしたりする意識を持つんだと納得できたのは、ずっと後のことです。

私には他にも、言葉や文字に限らず妙（みょう）に細かいところに気持ちが向いたと思い出せるエピソードがけっこうあり、才能があったかどうかは別として、言葉や文字について考えていくことが向いていたのかもしれません。ただ、今でこそ漢字研究者を名乗っているものの、小学校に入る前は、文字そのものに苦手意識がありました。

この頃（ころ）、私はひらがなの「あ」がうまく書けませんでした。つまり、五十音図の最初の文字で、いきなりつまずいたのです。「交差して、曲がって、さらにその上から……」もう、こんがらがってしまいました。ですが、「お」は書けました。そこで「お」を途中（とちゅう）まで書いて、最後の点を打たずに、代わりに「ノ」を慎重（しんちょう）に入れてみました。すると「あ」にそっくりな形にしあがったのです！　その書き方で、小学一年生になってもしばらくは、ごまかし続けていました。

ひらがなを苦労して一通り最後まで学習したと思ったら、次にカタカナが出てきて、「こんなものがまだあるのか、もういやだ」とげんなりしました（でも、ひらがなの「へ」とカタカナの「へ」は同じようだったので、得したと思った記憶があります）。

さて、私が幼稚園に通っていたこの当時、家にはまだ風呂（ふろ）がありませんでした。一九七〇年（昭和四五年）ころの東京都の区部でも、それがまだ普通のことでした。母が近所の銭湯（せんとう）に連れていってくれたときのことです。

「あなたももう小学生になる。ひらがなを覚えたから、そろそろ漢字も覚えなさい。いち、にい、さんは、こう書くのよ」

一　二　三

湯気でくもったガラスに、母が指でそう書いてくれました。幼い私は、すぐさま「じゃあ、「よん」はこう書くんだね」と、得意になって指で書いてみせました。

亖

ところが、母は「違（ちが）うのよ」と言って「四」という難しげな字を書いたのです。これは、なんだかわからない、漢字っておかしいとしょげたところで、記憶は途切れています。

私は、人生で最初に書いた漢字が「誤字」だった、という非常に先行きの暗いスタートを切ったことになります。漢字との最初の意識的な出会いで、すでに漢字のもつ独特な不条理にぶつかってしまったのでした。女風呂での光景はほとんど覚えていないのですが、この記憶は今でも鮮明に残っています。

後日談になりますが、字源、つまり文字の成り立ちについての専門書などを読むうちに、古代の漢字にはこの「三」もあったことを知りました。

コラム

漢字のはじまりと古代の漢字

漢字は中国で三千年以上前の殷の時代に作られ始めたようで、ものの形を模した絵を単純化した「山」「川」「木」のような象形文字だけでなく、抽象的な概念を記号などで表す「上」「下」のような指事文字、それらを組み合わせて新たな意味を表す「林」「鳴」のような会意文字、その片方が発音を表す「河」「鶏（雞）」のような形声文字がすでに見られます。

だんだんと形声文字が増えていき、字形も次第に直線的に変わっていきます。そして二千年ほどまえの弥生時代に、隷書体の漢字が日本列島に伝えられたのです。

漢字が苦手な小学生

小学校に入学すると、いよいよ授業が始まります。国語の時間に漢字を教わることになったのですが、意外だったのは最初に習う漢字は「一」ではなくて「人」だったことです。逆に書くと「入」になるのがおもしろく、紙に何度も書いていました。習いたての「校」は書いていて気持ちよかったので、ノートによく書いていました。左右に連続して分かれ、そして交差するところが気に入ったのです。

しかし無邪気に飄々としていたのは初めのころまで。次第に恥ずかしさからあまりしゃべらなくなっていきました。「小学二年生の壁」というのだそうですが、成績は奇跡的によかった一年生で早くもピークを迎え、二年生で少し下がり、三年生からはほぼ平均になりました。人前ではいつも恥ずかしくて、下ばかり向いて歩いていました。目の前に電柱があって、ぶつかったこともあります。また、お金を拾うこともありました（ただ、小銭ばかりでした）。

小学三年になったころには、何事ものみこみが遅い子になっていました。「ドラえもんの、のび太のほうができることが多い」と自虐的に感じていたものです。じつは今でも、人の話を聞いてそれが身につくまでが大変です。

そんな当時、漢字テストは、憂鬱でした。家では親にうながされても何も準備をしないので、書けない字が出題された場合は、教室にはられた、できあいの大きめの漢字の表に答えが出ていないか探したものでした。しかし、勉強せずにテレビばかり観て視力が落ちてきていたので、漢字の表に答えを探すのにも苦労しました。

漢字に関わる思い出としては、たとえば「喜怒哀楽」という四字熟語を習ったとき、ひねくれ者の私は「喜」と「楽」は意味が近すぎる、もっとほかにも感情はあるのに、と不満を感じたものです。また、一九七三年、小学校二年生のときに「当用漢字音訓表」が改定されて、教わる漢字の読み方が増えました（当用漢字についてはコラム参照）。じつはそれまでは「田舎」「お父さん」などは、熟字訓や当て字などとされて、国は正式な読み方とは認めていなかったのです。「魚」の読みは「うお」だけで「さかな」とは読めなかった、と先生が話すのを聞いて、「へー、普通に使われているのに」と思った覚えがあります。

その「当用漢字音訓表」の改定（漢字に関する国語政策では「改訂」とは書きません）を受けて、当て字や熟字訓を暗記する、という課題が出ました。

プリントに載った当て字や熟字訓は一〇〇くらいあって、そもそも知らない単語やふだん使わないものもあるため、私には覚える目的や意義がつかめず、試験もさんざんでした。

コラム

当用漢字と常用漢字——なぜ漢字は勝手に使えないのか?

漢字は長い歴史の中で作られ続けて何万字もできてしまっていたので、昔は難しい漢字を使いこなす人もいれば、漢字をまったく読めない人もいて、皆が読める新聞も雑誌もありませんでした。

明治時代からそれを何とかしようと、皆が読み書きできる漢字の範囲を国が決めて教育したり印刷したりするようになります。そして戦後に民主主義の社会を作り出すため、漢字を制限して皆が文章を読み書きできるようにと決められたのが「当用漢字表」で、ふだんは一八五〇種の漢字だけを使うことになりました(ちなみに私は子供のころ「トウヨウカンジ」と聞いて、じゃあ「西洋漢字」もあるんだ、と思っていました)。

その後、その制限は不自由を強いる制約と感じる人が増えたために、一九八一年に、使える漢字の範囲ではなく目安を示す「常用漢字表」に切り替えられたのです。

人と違うところに興味が向かう

小学校時代、クラスには中学受験をするような勉強熱心な子が何人もいたのですが、私はどこか気力がわかず、与えられたことを素直に消化しようとする意欲は、すでになくなっていました。他の人にも、ぼんやりしていると映っていたはずです。

将来については、夢が定まりませんでした。絵と工作だけはほめられるので、なんとなく画家になれたらいいな、とは思いました。漫画家(まんがか)もいいな、でもあんなに上手には描けないな。レストランの食品サンプル作りもしたいな、でもあんなにそっくりには作れそうにない。テレビでアナウンサーがニュースを伝えているのを観て、自分も世の中のことを冷静に伝えたいな、でもあんなにきちんと話せないな。電車の運転士にもあこがれましたが、責任重大で大変そう。そんなふうに思っていました。当時、学校ではまじめであることを否定する風潮が広まっており、テレビからもそういう雰囲気が感じられるようになっていただけに、客観的な態度をつらぬくプロ野球の審判(しんぱん)にもあこがれました。

「笹(ささ)」は国字(こくじ)

さて、日曜や祝日など学校が休みになると、四歳上(学年は三つ上)の兄と、電車で二駅はなれた祖父母の家によく遊びに行きました。小学校低学年だったある日の午後、兄が畳(たたみ)の部屋の机の上で白い紙を広げていたときに、「ささはら」という名字の漢字が書けるか、と聞いてきました。その時、私は「原」は書けたかもしれませんが、兄が「笹」という字の書き方を教えてくれたのです。私はまねをして紙に書いてみましたが、大きく、ぶかっこうにしか書けませんでした。

のちに兄は、「笹」という字は「国字」だと教えてくれました。お酒という意味もあると話してくれたのは、もう少しあとだったかもしれません。

国字とは、日本で作られた漢字のことです。「そうなんだ、でもそんなことは別に関係ないや」と、その時の私は関心がわきませんでした。まさか、やがてそれを研究したことで日本最初の国字に関する博士の学位を目指すことになるとは、まだ夢にも思っていません。

ところで、私の名字である「笹原」は、「笠原(かさはら)」と書き間違えられることがあります。小学校高学年くらいのころ、幼稚園の卒業アルバムを見返していたときに、「笠原」と印刷されていることに気付き、今さらながら腹が立ちました。自分の存在を軽視され、いい加減に扱われたような気がしたからです。

名前の漢字では、祖父の名前にも思い出があります。祖父の名は、父方が「与作(よさく)」、母方が「与次郎」でした。笹原の姓はこの富山県出身の父方の祖父から受け継いだものです。兄が「年賀状は難しい字で書こう」と提案してきて、簡略化された「与」の字ではなく、大きめに「興」と一緒に書きました（「興」はよく見ると「與」と書くのが正しいようで、じつはこれが「与」の旧字体だったのですが、疑問を呈した私に兄は「興」だと譲りませんでした）。「難しい字を書いてきた」と二人の祖父からごほうびとして小遣いをもらいました。

コラム

国字とは？

漢字を使って日本語を書き表していくうちに、すでにある漢字では間に合わないことが起こります。じつは七世紀にはすでにそうしたことが始まっていました。

たとえば、中国では不思議な力を持つ木やチャンチンという木を表す「椿」の字を、字面から春に咲く「つばき」として使うような国訓とよばれる日本独自の字の意味が現れました。

さらに、「さらけ」という食器にはぴったりの漢字が見つからなかったので「甅」と独自に組み合わせた字も作られました。また、漢字があっても木の名の「カシ」を表す「橿」のようにわかりづらくてしっくりこなかったものには「樫」と、字を作り直すことも起こります。

「[illegible]」や「樫」の類を、日本で作られた字ということで国字または和字と呼びます。これが大正時代頃までに一万字は作られたようで、なかには「[illegible]」で「(あまの)はしだて」と読ませるものまで室町時代の本などに見られます。

この国字に関する研究が、私の一番の専門となりました。

漢和辞典との出会い

私が通っていたのは都内の普通の公立小学校で、川が流れるわきにある、おだやかなところでした。通学路の途中にはお寺があり、放課後や休日にはよく「だるまさんが転んだ」やかくれんぼをしていました。八の付く日は縁日があり、露店の間を歩いて通学し、ガマの油売りやバナナのたたき売りをながめたり、店のおじさんに手を差し出して黄色い甘い粉をもらったりしながら下校したものです。

私のクラスには、優等生とよぶにふさわしい人が何人かいました。小学五年生のある日、休み時間に「天才」と呼ばれていたS君が転校生のM君に「鮹」という字を書いて見せ、

図 1-1　田河水泡『蛸の八ちゃん』の扉絵(講談社，1976 年)

「これ、なんて読むか知っている?」とたずねました。

私は、たまたま少しはなれたななめ後ろに座っていたのですが、その直前に、父が子供のころに読んでいたという『蛸の八ちゃん』という漫画の復刻版(田河水泡、一九七六年、講談社漫画文庫、図1-1)を、父に見せてもらっていました。私は以前から、タコという生き物の形がユニークなために大好きで、よく落書きをし、小さな赤い人形も大切に持っていました。『蛸の八ちゃん』の「蛸」にはふりがなで「たこ」とあったので、「あのタコのことだろう、でも、タコは虫偏(むしへん)じゃなかったかな?」と、S君の字を意外に感じたのです。

転校生が「知らない」と答えると、S君は「タコって読むんだ」と教えていました。「よく知っているね」と言うと、S君は「カンワジテン」に載ってるよ」と答えたのです。

「カンワジテン?」

私は聞いたことがない単語を覚えて、家に帰って兄の部屋の本棚(ほんだな)を探してみました。すると、一番上の棚の左端に『新選漢和辞典』という厚めの一冊が置かれていたのです。奥付を見ると、一九七二年一月一七日発刊のものでした。

これか、と手にとって開いてみました。すると、「蛸」も「鮹」もタコとして両方載っていました(図1-2)。どちらでもいいんだということを知ったわけです。——これが、人生を決定づけた漢和辞典との運命的な出会いでした。そこには、すべての漢字が載っていると思ったのです。さまざまなサカナの名前が旁(つくり)によって変わる魚偏の字など、とくにおもしろく、わくわくして見つめているうちに、たくさんの漢字が頭に入ってきました。

七画

【蛸】7ショウ㊥㊋ ㊥ 蕭 ①〈あしたかぐも〉虫（セウ）xiāo, shāo くもの一種。ささがに。②螵蛸(ひょうしょう)は、かまきりの卵。③㊐〈たこ〉＝「海蛸子(かいしょうし)」

【蛸入道】(たこにゅうどう(にふだう)) ㊐①たこ。②ぼうず。

【蛸配当(當)】(たこはいとう(たう)) ㊐会社が利益のないときに、資本金にくいこんで無理に配当をすること。

【蛸壺】(たこつぼ) ㊐たこをつかまえるつぼ。

【蛸絡】(たこからげ) ㊐着物のすそのまわりをまくりあげること。

【鯉幟】(こい(こひ)のぼり) ㊐五月五日の節句に、男子の成長を祝って立てる鯉の形ののぼり。

【鯉濃】(こいこく(こひこく)) ㊐鯉のみそ汁しる。

【鮹】7ソウ(サウ)㊥ ㊥ 脊 ①魚の名。魚 ショウ(セウ)㊥㊋ ㊥ 蕭 shāo ㋑海の魚。㋺淡水魚。どちらも馬のむちに似て二またの尾がある。②㊐〈たこ〉＝蛸・章魚

図1-2　兄の部屋の本棚に置かれていたのと同じ小林信明編『新選漢和辞典』の「蛸」のページ(小学館，1976年卓上新版)

その『新選漢和辞典』は小学館が刊行した辞書で、文学博士の小林信明先生の編と書かれていました。私は、このことを忘れないようにとノートに記録していました。記憶は時間とともに変質するものなので、折にふれてあれこれとメモを書き残してきたのは正解で

した。

この体験は、漫画で現実に使われていた漢字「蛸」と、辞書に収められている「鮹」との対比でもあったのです。子供が往々にして好む魚偏をもつ字がもたらしたこのできごとは、私が、まだ一〇歳、一九七五年のことでした。

なお、「蛸」と「鮹」の漢字の由来については、じつは中国では「蛸」は脚の長いクモの「アシタカグモ」(あるいはアシナガグモ)を表し、それに似ていて海に住むタコを「海蛸(かいしょう)子(し)」と呼んだものと考えられます。そこから「蛸」や「鮹」が、単独でもタコを指すようになったのでした。

漢字博士(ハカセ)として

漢和辞典との偶然の出会い。それこそ私が漢字の研究者になる第一歩だったわけです。「どうして漢字に興味を持ったの?」とよくたずねられますが、じつはこんなたわいもないことでした。しかし、もしその日、風邪(かぜ)を引いて学校を休んでいたら。どこかに行っていてたまたまその会話を耳にしなかったら。今の私はいなかったかもしれません。漢字に関心を持ったとしても、かなり遅れたはずです。そう思うと、運命的なできごとでした。

その日から、折を見て兄の部屋に忍(しの)びこんでは、漢和辞典を開いていました。よく知っている字、知らない字が並んでいて、興味がつきません。もっと知りたい、もっと知りたい、となりました。兄が以前、「笹という字は国字だ」と言って見せてくれたのは、この辞典だったのです。そこには索引(さくいん)も付いていました。「ちょうせんうぐいす　鸝」という長い訓読みもある。「しんがり　殿」とは何だろう？「こいねがう　冀」とは恋を願うことか？　などなど、不勉強な小学生にはわからないことだらけです。画数の多い字には、「麤(ソ)」のように三〇画を超えるものまでありました。

　ワクワクしながら漢和辞典をくり返しながめていました。記憶力がよい時期に、興味を持ってあちこち読んでいったので、スポンジが水を吸い込むようにどんどん頭に入ります。そこで気になった漢字、気に入った漢字をノートに書いてみたことも、記憶を定着させるのによかったのでしょう。それらは知識となって、のちの調べごとや考えごと、そして研究活動に際して、土台となる基礎的な情報として働いてくれました。

　そうしてクラスで「漢字博士(ハカセ)」と呼ばれるようになると、図工くらいしか取り得のなかった自分は、内心少しばかり得意になっていました（漢字博士(カンジー)というカードゲームも人気でした）。漫然(まんぜん)と授業を受けてぼんやりと三〜四年生を過ごし、そして小五で漢字に目覚めたわけです。

当時は小学校を卒業する時に、皆にノートやカードを回して自分のことやメッセージを記入しあう習慣が一部にありました。私は尊敬する人、好きな場所などとして、読んだこともなければ行ったこともない、沙翁(シェイクスピア)、那翁(ナポレオン)、桑港(サンフランシスコ)などを書きこんでいきました。それらの漢字を覚えている、難しめのそれらを使えることが楽しい、皆が知らないことを知っているという優越感(ゆうえつかん)もあったように思います。

年賀状で「おめでとうございます」をなるべく漢字で書いた方がかしこく見えると思い、「御目出度う御座居ます」と書いてみたり、ひらがなが混ざっていると嫌なので「御目出度御座居升」などと書いてみたりした記憶もあります。……覚えたことをひけらかそうとしていた、さかしらな行為で、私の「黒歴史」の一つです。

漢字博士(ハカセ)の日々

この頃の漢字にまつわる思い出は、まだあります。街中には、父の通っていた色ガラスで中の見えない理髪店(りはつてん)の「巴里院(パリいん)」、喫茶店(きっさてん)の「神田伯刺西爾(かんだブラジル)」など、当て字を使った店の名を示す看板があちこちにありました。辞書や本で覚えた当て字が使われているのです。くせのある書体で書かれたロゴのその「刺」が「刺」になっているように見える、と気になった記憶もあります。子供の私にはパリやブラジルも、喫茶店自体も縁遠く、それが漢字で書かれているわけで、「珈琲（コーヒー）」とともに大人の世界を感じたものです。その一方で、辞典にない当て字は、勝手に作ったものだと、いくらか見下していました。

また、学習研究社（学研）の雑誌『科学と学習』には写研（しゃけん）のナール体という書体がよく使われていたのですが、「母」「松」など形が一般的な書体とだいぶ違う漢字もあって、そうしたものも書き写していました。

担任の先生が「門」を略して「门」と書いたことがありました。こんなのがあるのか、もっと早く教えてくれれば、と便利な大人の字として、早速まねをし始めました。パソコンもケータイもない時代、手書きの文字が今よりたくさん書かれていたのです。

こんなこともありました。貝の付く漢字を調べるという自習時間に、私は辞典を思い出して「貰」も書きました。すると後日、先生からは赤でただ「貫」と直されていたのです。「もらう」という字を知らないのか、とやりきれなくなりました。「当用漢字表」の時代だったので、習わない字だからという教育的な配慮があったのかもしれませんが、やはり指導や評価としてよくなかったと思っています。

こうして小学校の高学年の頃には、漢字って、いろいろな字があって楽しいなと感じながら、辞書に載っていることをどんどん覚え、全部覚えたら漢字博士(ハカセ)になれる、それこそが本当のものしりだと思うようになっていました。

コラム

漢和辞典を使ってみよう

たくさんの漢字を、字の意味や形の枠組みを表す部(よく部首とよびますが、「部首」とは本来は部の最初の字の意)によって分類し、画数の順番に整理して並べ、読み方や意味、熟語などを示した辞書が漢和辞典です。

中ぐらいの規模の漢和辞典ならば、たとえば「蛸」は「虫」という部の7画(「肖」(肖)の画数)に出ています。総画索引では一三画にあります。読みが「たこ」とわかっていれば、音訓索引が五十音順に整備されているので、「た」のところから本文に飛ぶこともできます。

今は電子辞書として使えるものが増えて、画面に字を書いたり、読みを打ちこんだりして本文を呼び出すこともできます。

2 秋桜と書いてコスモス
――こんな当て字は許せない

漢字の「観察」

こうして私は、苦手だった漢字のテストも、だんだんと得意になってきました。漢字に耽溺（たんでき）していて、毎日、漢和辞典をながめているのですから当然です。

先ほどのS君は、優秀だったので中学受験をして、有名私立中学に合格したそうです。私は受験にはほど遠く、そのまま区立中学に進みました。家が学区の隅（すみ）だったために、多くの同級生と別れて、別の中学でつめえりの学生服を着る生活に入りました。当時は校内暴力が深刻化していた時期で、都心の荒れた公立の中学校ではクラスで乱暴な言動が多く、先生に対する暴力まで起きてしまい、いやな時間が流れました。私は入学早々に声変わりになって声が出ず、ますます自己主張ができない悲運も重なりました。中学は、軍隊か監獄のような場所に感じられました。

ですが、萎縮しておびえる環境で、他者のいたみがわかるようになった面もあります。緊張の絶えない人間関係のために、どうしようもないことからは逃げることを覚え、厄介なことをなんとかやり過ごすためのバランス感覚も養われていきました。

一方で、中学校では「廊下」という字が掲示物に見られるようになったほか、だれか先輩が書いたのでしょうが「挨拶」という、当時学校で習うことのなかった字が校内にはってあり、大人の世界を感じたりもしたものです。

この頃、漢和辞典編纂者として名高い諸橋轍次先生が中国古典の故事名言を編纂したという本を買って読みました。しかし「塞翁が馬」のほかには「豎子(つまらないやつ)」へのなげきが見つかるくらいで、中学生だった私のふさいだ心はあまりなぐさめられませんでした。

もっと漢字の本を読みたくなって、少し背のびをして国立国会図書館に行ってみましたが、年齢制限があって入れませんでした。「班ノート」にその愚痴を書いたところ、国語の先生から「区立図書館があるじゃないか」と書かれて、「そこにはもう行っている、それでは足りないんだ！」と唇をかんだものです。その先生はたまたま担任になり、家庭訪問のときに私の部屋に『大漢和辞典』が並んでいるのを見て、「漢字なら笹原と言われるようにならないとな」とはげましてくれました。当時は現実感がうすく、あきらめのような気持ちをかかえて聞いていました。

数々の「当て字」

このように、苦手なことが多くて自己主張のできないおとなしい子でしたから、「優しい」と言われるとうれしかったものの、それは思春期の男子たちの力関係のなかでは「弱さ」と紙一重の概念でした。「おとなしい」を「大人しい」と書くと知って少しうれしい気もしましたが、自分がほめられているわけではないので、意気は上がりませんでした。

一九七九年からテレビで放映された学園ドラマ「3年B組金八先生」で、「人という字は二人のヒトが支え合って」というようなセリフがあったのですが、画面に向かって「字源は違う」とツッコんでいました。「優しい」という字は「人に憂うと書く」という言葉には、そうだとなぐさめられたこともありました（ただ、字源を調べても、どの辞書もそんなことは書いていませんでした）。

またこの頃は、当て字らしきものをあちこちで目にしました。たとえば、祖父がよく集めてきたマンガ雑誌では、ちばてつやの『ハリスの旋風』や水島新司の『野球狂の詩』、あだち充『陽あたり良好！』、柳沢きみおの『翔んだカップル』などの漫画タイトルもそうでした。また、ジョージ秋山の連載漫画『浮浪雲』には、「この読みはおかしい」と思い悩んだりもしたものです。

「翔」という字に関しては、一九七二年から新聞で連載が始まった司馬遼太郎の歴史小説『翔ぶが如く』が話題となりました。しかし、手元の辞書にこの「翔ぶ」という表記がないことに疑問を感じました。また当時、活字では「羽」の部分が「羽」となっているものがほとんどだったのです。こうした使用から要望が増えて人名用漢字に追加されるときに「羽」の部分が「羽」へとそろえられ、それが普通名詞や動詞を表記する「翔」にまでおよんでいったのです。

そして、一九七七年の夏休みだったでしょうか。書店で買ってパラパラと見て楽しんでいた鐘ヶ江信光『中国語辞典』（大学書林、一九七六年、五三版）の頭のページから、漢字の発音を使って英語などの外国語を表現した音訳語をカードに写し取り始めました。

中国語を学習していないのに、その『中国語辞典』を通して見ていくと、「愛耐而幾」（エネルギー、実際には従来の漢字を簡略化した字体・簡体字で爱耐而儿)や「生的悶脱」(センチメンタル、同じく生的闷脱)などを見つけて、なるほどうまい当て字だと感心し、自分のノートに使うようになりました。今で言う中二病のような感じです。

　このように、おもしろい漢字を見つけては集める、観察することが私の漢字研究のスタートでした。そして、わからないことはごまかさずにおき、わかったことについてはきちんと整理をしてみました。そうしていくうちに、やがて頭の中に「なぜ?」が出てきたのです。

　たとえば「倶楽部」というのは、日本でできた当て字なのか? そうだとすればそれはいつ頃のことか? なぜこの字になったのか? 他の当て字はなかったのか?……など、謎が謎を呼び始めました。そうして、それを解明していくために、さらに新たな調査を本で行い、自分で分析と考察を始めたのです。

　漢字に対して本を使って調べごとをして分析を加えていくと、そうなった原因、理由や、そういうことがよくあるのかどうか、ほかのものと比べながら法則性や一般性も確かめるようになりました。好き嫌いなどの感覚に関することであっても、客観化して論理的に考えることが大切です。先入観はいったん排除しないといけません。私も自分なりに文字に貴賤はないと考え、硬軟取り混ぜて何でも知りたいと興味を持てるようになってよかったと感じています。
多くの研究者が、「大学時代に出会った先生の講義によって漢字に目を開かされた」と語っています。私の場合は、それよりも早い時期に独学ながらさまざまな字、字の形、古文や籀文といった古代中国の書体の名前など、その学問分野の基礎的な概念や専門用語(じつは怪しいものもふくめて)を、知らず識らずのうちに純粋な興味によって覚えられ、自分なりに応用を夢想し模索する時間を作ることができたのです。

今思えば、記憶力がいちばんよく、頭もやわらかくて多感な青春の時期に、こうやって漢字にひたって過ごしていたのは幸いだったのかもしれません。荒れてすさんだ中学からはなれて、そうしたことにふける時間は、幸せな一時でした。

ただ将来については、押しつけられることや集団行動が苦手だったため、親の田舎に行って地味な店をやりたい、一人静かによい作品を作ってしかも尊ばれる職人のようなものになりたい、なんて思っていました。母からは「あんたは大人しいから本屋の店員になれば」と言われ、そうかもと思いました。客観的な立場で大好きな野球の試合を観戦しながら記録を付けられる、プロ野球の公式記録員になりたいとも思ったものです。他者による現実のプレー、つまり無限にある動作の中でも意味のある動きをそのまま単純化して記号に変えて残す。

どうも私はそういうことに適性があったようです。

「当て字」集めに熱中

初めは漢字の形に興味を持ち、おもしろいと思っていましたが、だんだんと漢和辞典に「ちりばめられている」当て字に興味が移っていきました。この「ちりばめられている」は、一九八〇年に自分のノートに書き残した表現です。当て字とは、漢字表記と語との間に通常な対応が見られないものを広く表す用語です。つまり、漢字について、漢字そのものから語との結びつきへと関心の重心が移ってきたのです。

国名の略記は、「米」(アメリカ)「仏」(フランス)などが知られていますが、辞書にはほかにも載っています。この頃には、国語辞典も読むようになっていて、例を見つけていました。「芬」(フン、中国語音でフェン。フィンランドのこと)、「瑞」(ズイ、ルイ。瑞西と書くとスイス。瑞典と書くとスウェーデン。こちらは「瑞」でなく「典」と書くことも)のように、よい香りとかめでたいとか良い意味の字があることなど、大まかな傾向や法則性に気付きました。

中学一年生のときに学校で課された自由研究では「研究課題(アメリカなど国名の当て字)」と題し、新聞によく見られるものの辞典での漢字の意味を簡単にまとめてみました。

この当時に流行っていたテレビ番組、NHKの「ゲーム ホントにホント?」でも、そのような漢字に関するクイズがよく出題されました。名人も失敗することがある、という意味のことわざとして「弘法にも筆の誤り」がありますが、その誤った字とは、平安時代に空海（弘法大師）が書き落とした「應（応）天門」の「應」の最初の点だった、という話などに感心するばかりでした。ふだんよく聞く「おみおつけ」は「御御御汁」と書くという語源と表記の紹介にも、当時はびっくりしたものです（その後、二つ目の「み」は敬語ではなく、味噌の「味」という説が有力だと知ります）。

コラム

おもしろい当て字とその由来

「当て字」とは、その単語と直接は結びつかないと意識されるような漢字を当てることも指します。たとえば、第1章でも紹介した「珈琲」がそれにあたります。

当て字には、国字もあります。たとえば外来語の「キロメートル」の当て字は、「粁」。「メ」という読みを持つ漢字「米」が千あるので「粁」なのです。この字は明治時代に日本の気象台によって作られ、中国、韓国にまで広まりました。新聞など限られた文字数しか入らない記事では、この字のおかげで、カタカナ六字のスペースを一字に節約できたわけです。

辞典の世界を飛び出して

さて、これまでお話ししてきたように、私は漢和辞典を見ているときが一番の安らぎという「漢字マニア」の中学生でしたが、その関心は辞典の世界を飛び出し始めていました。

たとえば、当時、家で購読していた「日本経済新聞」は株式欄に独特な略字が使われていました。「機」「興」は、細かい部分を「ソ」に替えて「[illegible]」「[illegible]」としていました。小さな字でもつぶれないようにという工夫だったのでしょう。家に置いてある洗剤の箱にさえも「石鹼（鹸）」に「[illegible]」のような普通ではない字体が見られました。ふとんや服のタグは刺繡だったために、こみ入った線が間引かれた字があることもおもしろく見ていました。

外に出れば、看板には「曜」の略字「旺」が見つかり、また繁華街のネオンサインによる看板にも、線の折れを利用したたくみな表現と点画の間引きを見出していました。映画の字幕は、まだ職人が手書きをしていたので、作品ごとに個性が感じられました。何名かの字幕ライターが書いていたのだそうで、個人差が生じていたのです。歩いていて看板を見ても、映画館に入って大きな画面の字幕を見ても、独特な略字にふれられる、漢字一字一字にはっきりとしたゆらぎが残っていた、昭和は人間くさい時代だったと言えるでしょう。

映画では、漢字にすると仮名よりも字数が節約できるので難字も見られましたが、ひらがなにして傍点(ぼうてん)を付けるという独自の表記にもふれられました。「門」は、日本式の略字「𠁤」と簡体字式の「门」と、作品ごとに分かれていました。「撃(げき)」の略字「軎」はとなりで観ていた友人に「何て読むの?」と聞かれた記憶もあります。

この時代は「漢字は日本語に合わない、古くて複雑すぎる文字なので、早く廃止(はいし)すべきだ」という漢字廃止論が、公的な場面でさえも一部でまだ熱気を持っていました。

授業中の漢字

そんなわけで、漢字だけは学校の勉強をしなくても得意だったのですが、書き取りテストで「機」の点の位置が右に出ているとして「×(バツ)」をもらったことがありました。これには納得がいかず、古い書家たちが記した楷書(かいしょ)の実例をたしかめました。すると、点が右に出ているものがそこそこあることが確認でき、×をつけられたことへの不条理を感じたものです

（のちにこのように書く習慣もたしかめられたため、こうした類の字形は、字の骨組みとしてはどれも同じであると、副査として関わった「常用漢字表の字体・字形に関する指針」に盛りこまれました）。

　また、漢字の読みの小テストでは、二〇問の最後に「水稲」が出題されていました。初めて見る熟語で、「みずいね」と書いたところ「×」でした。家に帰って「一問だけ間違えた」と母に言うと、「それは、「すいとう」だよ」とわけもなさそうに言われました。母は農村育ちだから「水稲」は身近にあったのでしょう。その時、接する漢字は、生活環境の違いによって変わるんだと実感しました。今思えば「位相」つまり社会集団による認知度の違いに該当するできごとでした。

　この頃、日本史の教科書や参考書をながめては、漢和辞典をひいてたしかめていました。日本最古の貨幣とされていた「和同開珎」の四字目は、漢和辞典にそのままの形では載っていませんでした（多く載っている字体は、「弥」）。「珎」には「珍」の異体字で「チン」とする説と「寳」（新字体は宝）の真ん中を抜き取ったものとみる「ホウ」という説とがありましたが、ホウという発音に親しみを感じました。

　七世紀に朝鮮半島で戦いがあった「白村江」は、ハクソンコウのほかに「村」に「スキ」とふりがながありました。もしかしたら「スキ」とは古代の朝鮮語なのだろうか？と興味をいだいたものです。明治維新の直後に「大坂」から「大阪」に公的に切り替えられたのは、「士（土偏）が反（叛）かないように」との意図があったとする説明を読んで、「そんなこと知ってらあ」と思った覚えもあります（まだ江戸時代にすでに「大阪」とも書かれていたこと、「士に返る」を避けたとする説、府の公印を作る際に篆書に「坂」がなかったためという説もあることなど知りませんでした）。

さらに、キリスト教徒をあらわす「吉利支丹」の当て字は、禁教のため、あるいは将軍・徳川吉宗の名の「吉」の字を避けて「切支丹」などとひどい当て字に変わったという記述もインパクトがありました。「傾く」に由来する「歌舞妓」も、男性が演じる野郎歌舞伎の登場で「歌舞伎」に変わったなど、日本史では感心することがたくさんありました。

また、参考書に「尼港事件」というロシアのニコライエフスクで起きた事件の名前が記してあり、この「尼港」はアメリカのサンフランシスコを「桑港」、フィラデルフィアを「費府」と略記する当て字の類だと喜んで、何度も見返していました。

一方で、不満だったこともあります。たとえば「参勤交代」の「勤」は「覲」ではないのか、「下克上」も参考書のほうが「下剋上」で立刀が入っていてよかったと、このころは思っていました（江戸時代に両方の書き方があったことは、あとになって知りました）。

理科の教科書では「沈澱」が「沈でん」、「葯」が「やく」、「濾過」が「ろ過」、「月蝕」が「月食」、「篩管」が「師管」「ふるい管」、「喬木」が「高木」、国語の教科書では「漁撈」が「漁労」になっていることがありました。当時、「当用漢字表」による制約が強かったために、その表にない字、つまり表外字は書きかえられたり仮名書きされたりすることが多かったのです。それらを目にするたびに憤慨し、がっかりしました（月食の方が古いことは後で知ります）。

また、国語の授業で「抒情」を「叙情」と書いても良いと言われたときには、それは違う字だ、国語でまでこんなことを言うのか、と落胆しました。

そんなある時、理科の教員が「凪」という字を板書し、「読める人はいるか？」とたずねたのです。だれも手を挙げなかったので、めずらしく挙手して「なぐ、とか、なぎ、とか……」と答えると、先生にも周りの人たちにも驚かれました。こうして私は、漢字についてだけは「歩く辞典」「物識り」などと認識されました。

地理歴史クラブでもやっぱり漢字

中学校では必修クラブとして、小学校時代に社会科クラブに所属していた流れから、地理歴史クラブに入りました。ある時、「地歴クラブ」という名前の文字のデザインを、皆で考えようということになりました。私はかっこよくなるようにと、うろ覚えながら背のびして「地歴具楽部」と手元の紙に書き、何か変だけどこれでいいはず、と自分に思いこませました。そのときに、あこがれの先輩が、だまって「具」に「にんべん」を書きそえて「倶」と直してくれました。それが何だかうれしくて、こういう人に自分もなりたいと思ったものです（「倶」である必要は字源からもないのです）。

地歴クラブでは、個人で研究をして発表をする機会が設けられていました。角川小辞典シリーズの『地名の語源』（鏡味完二、鏡味明克、角川書店、一九七七）に、活字がないので作字したことがありありとわかる、「⿰米無」で「シイナ」と読ませるような印象的な会意文字（既存の文字を組み合わせて、新しい意味を表した文字）が辞典の部分やコラムなどにいくつかあり、私は、そうした地域独自の漢字、つまり方言漢字を調べたい、と話したこともありましたが、先生にはピンとこなかったようで実現させてもらえませんでした。

当時はインターネットなど夢想さえしない時代でしたから、教員のもっている常識の範囲でしか生徒は調査研究ができなかったのです。

許せなかった、山口百恵（やまぐちももえ）の「秋桜（コスモス）」

ところで、当時は家に、古めの洗剤などと一緒に無造作に置いてあった黄色い表紙のソフトカバーの冊子がありました。その本には、漢字に関するさまざまな決まりが太めの筆字で書かれていて、時折手にとってながめていました。

この本は毎日学生出版社から一九七一年に出た『文部省できまった国語の早わかり』増補決定版で、文部省教科書調査官・江守賢治（えもりけんじ）の指導というものでした。日本図書館協会選定、全国学校図書館協議会選定とも書いてあり、信頼すべきものと感じさせられました。

漢字には新旧があって、決めごとが設けられていることを学びました。ただ、いくつもの当て字が「今は間違い」というように書かれているなど、字や表記の正誤の基準については、「あれ？」と思うこともありました。文部省の漢字教育をリードした書写体の研究者として後に名前を覚える江守賢治氏の書いた字と漢字に対する考え方に、知らないうちにふれていたのです。

こうして、たくさんの漢字や熟語を見ていく中で、日本語に入った外来語を漢字で書くという矛盾（むじゅん）したような超越（ちょうえつ）したような方法と例に、とくに心が引かれていきました。そうしてとてもわくわくしながら集めた漢字による表記を大学ノートに書きこんで、『音訳当て字』

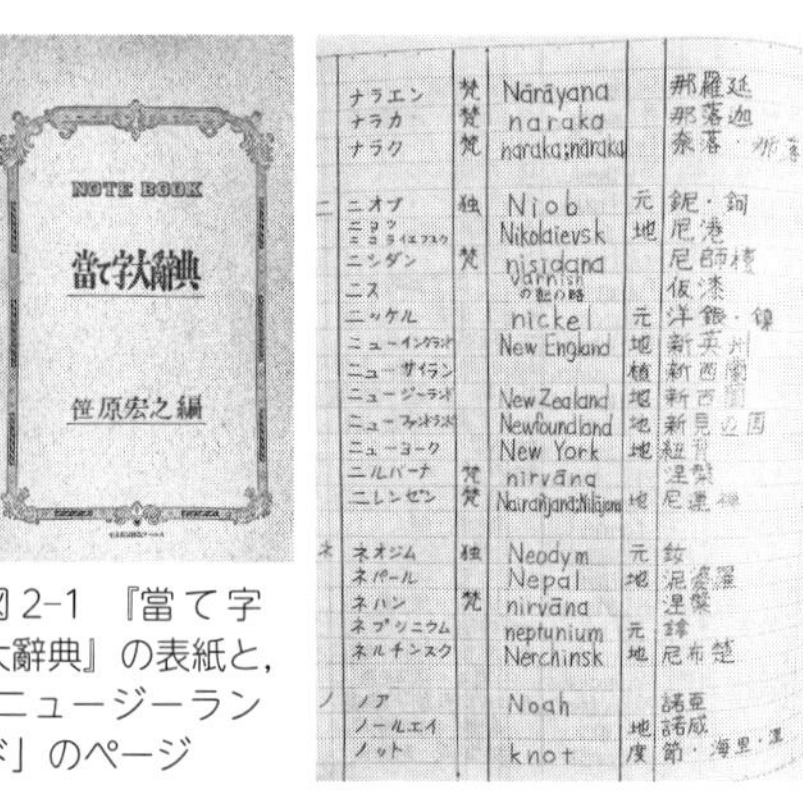

図2-1 『當て字大辭典』の表紙と,「ニュージーランド」のページ

(分類は独自の意味分野別)、『當(あ)て字辞典』(同、一九七九年一月六日の跋文(ばつぶん)があり、「文学博士」を僭称(せんしょう)するメモもあり)、『當て字大辭典(だいじてん)』(同)、『當て字大辭典』(五十音順に変えたもの、図2-1)と題したものを、自分で作ってはバージョンアップさせていきました。子供向けのジャポニカ学習帳などを使っている小中学生にとって、文房具屋の一角で静かに売られていた大学ノートというものは、それだけで背のびした気持ちになれるものでした。

先ほどの「倶楽部」のほかにも、「型録(カタログ)」「混凝土(コンクリート)」「金平糖(コンペートー)」「歌留多(カルタ)」、国語辞典で見つけた「汎(パン・ハン)」「治具(ジグ)」などは、字の読みだけでなく意味も合っていて印象深く好きな当て字でした。「経済的」などの「的」がじつは英語の接尾辞「tic」の当て字という国語辞典の解説も、なかなか衝撃的(しょうげきてき)でした。

ちょうど、一九七七年に当時の大スターで歌手の山口百恵(やまぐちももえ)が「秋桜(コスモス)」という歌をリリースしました。タイトルがテレビの字幕に出ると、私は許せませんでした。辞書に載っていない当て字を使っているためでした。大ヒットしたこの曲のために、遠足ではバスガイドさんが「あきざくらって書いてコスモスと読む」と、花の説明に使うほどでした。そのたびに私は「違う！」と心の中でさけんでいました。

当時の私は、「辞書は何らかの絶対的な見識を持った博士たちが不動の基準を持って採用・不採用を決めている。その基準は、自分はまだ知らないけれども、侵（おか）すべからざるものなのだ」と思いこんでいたのです。私は自分で作り上げた内なる強固な規範意識から、「秋桜」に対して不満と無力感でいっぱいでした。

当て字の、気づき

集めた当て字がどんどん増えてくるうちに、分類をして整理してみたくなります。それで、先述したように自己流で意味分類をしたり、五十音順に整列したりしたのです。共通の意味をもっていそうな当て字をまとめることで、何かが見えてくるような気がしたため、織物、国名、貨幣単位など自然と独自の意味分類を試みて、当て字を書きこんでいました。そうすることで整理できたと考えたのですが、実際には分類に迷うものもあり、なんとなく探しにくさも感じたものです。

しかしそうしているうちに、辞書に載る当て字だって元はだれかが創ったもので、それが人々の心をとらえて定着したり、編者に認められたりして採用されてきた、という事実に少しずつ気づいていきました。おりしも一九七九年に『宛字外来語辞典』(柏書房)という、かなりたくさんの本から当て字を拾った辞書が現れました。さらに中国語辞典に加えて、中国では際限なく当て字が創られているという情報も書物や新聞広告で手に入れました。

当て字のノートに載せそこねた例を辞書で見付けては加えていましたが、「ここで当て字への興味も燃え尽く」というメモが残っています。そして、漢字の字体のほうに興味が戻るとともに、漢字の形態だけでなく、広く音読みなどの発音、つまり音韻や、意味つまり訓詁なども勉強するべきだ、と考えるようになりました。漢字の収集と分類整理に没頭しており、漢字のコレクターとかマニア、今風に言えば漢字オタクなどと呼ばれてもおかしくない状態にありました。

――やがて大人になって、私は当て字の辞書を出版するわけですが、そこでは「秋桜」も、それが生まれて社会に広まった経緯を解説し、レコードなどで用いられた実例とともにしっかりと載せることにしました。

3 冂(もん)、譆(き)、靍(つる)
——全一三巻『大漢和辞典』にもない漢字

『大漢和辞典』がほしい！

兄は、色々なことを少し得意になりながら教えてくれました。夏休みに祖母が旅行に連れて行ってくれた時も、電車で「六四画もある、「龍(りゅう)」を四つも書く漢字がある」と教えてくれました。私は信じられなかったのか、「何に載(の)っているの？」と聞きました。後日、兄は家で「本当だろ」と言いながら、『チャート式シリーズ 基礎(きそ)からの漢文』(数研出版、一九七五)を見せてくれました(図3-1)。

そこには、六四画のその字の図版がたしかにありました。『大漢和辞典』は当時全一三巻、従って漢字の成り立ちは、必ず右の四種のどれかに分類できる。そして、漢字の中には、特別な使われ方をする場合もある。その特例だけを示したものが転注と仮借で、これらは、成り立ちの四種とは分類法が異なっている。一口に六書と言うけれど注意したい。

六十四畫

臼 興興興興 九 四六二

龍 龍龍龍龍 三一二五一

♦最も画数の多い漢字♦

図 3-1 『チャート式シリーズ基礎からの漢文』に載っていた「𪚥」のページ，「東京大学教授前野直彬監修，弘前大学助教授江連隆著」とあるのも印象的だった

世界最大の漢字の辞典で四万九〇〇〇余字を収めると書いてあり、「そんなにたくさんの字があるのか」と、それにも驚かされました。

さて、中学生の私は『大漢和辞典』が一一万円もすると調べて知ったのですが、ほしくてたまらなくなりました。古本で買うという知識はなく(古書でも高かったと思います)、ほしかった野球のゲームや鉄道模型も迷っては買っていたものの、これは桁が違いすぎました。

『大漢和辞典』を探せ

私が生まれた直後にできた近所の商業施設・中野ブロードウェイは、地下一階から四階までさまざまなお店があって、幼いときから私の生活の中にありました。そのため、こちらは

アメリカのブロードウェイよりも先にできて、アメリカの方がまねをしたと思いこんでいたほどです。その三階にある明屋書店や祖父母の住むとなり町の西友の最上階にあった本屋など大きめの書店で、一番大きい漢和辞典を探しました。『大漢和辞典』を探していたのです。ちなみにこの明屋は「はるや」と読み、それを少しめずらしく特別なものと感じていました。

棚の隅に、ぶ厚い漢和辞典が何種類か置かれていました。講談社の『大字典』という漢和辞典もあり、それには四八〇〇円という値段(当時は消費税がありませんでした)が書かれていました。子供の私には高すぎて買えないそれを開いてはながめていました。『大字典』の立ち読みをしていたのです。古色蒼然とした太い明朝体で見出し字(親字)が【 】で囲まれて示されており、ところどころ手書きで行間に新たな字、載せもらしたような字が追加されていて手作り感がただよっています。そんな、あとから細いスペースを設けて書きこまれた文字まで印刷されている、ユニークな辞書でした。

目当ての字「龍四つ」は収められていないのですが、他の辞書と違って「龍三つ」までは載せていました。これだけでもすごいことでしたから、見るたびに興奮気味になり、部屋にほしくなりました。

最後の字の番号が一万七〇〇〇台。この字数も、『新選漢和辞典』やぶ厚い類書よりも多く、他にも「[illegible]」という不思議な形の字も載っていて、「この字漢字にあらず」と解説が書かれているではありませんか。重さの単位のオンスは、欧米ではOz.と略記するので、その記号を続けて漢字のようにしたてたのでしょう。兄に言っても、「そんなのあるはずがない」と信じてくれませんでしたが、たしかに印刷されているのです。

『大字典』は見出し字と本文の活字が違うのですが、大きさや太さだけでなく字体まで違うものがあって、どう考えたらよいのか迷いました。「電気」を略して「⿱雨気」と一つに合体した字まで収められています。明らかにあとから書きこまれた「喴」には「喴司開」で「ウヰスキー」とあり、昔の上海あたりで使われたのでしょうか。奥付に初版が大正九年（一九二〇）とあり、そのころの日本や中国の生活や商売の様子さえも感じさせる、不思議がたくさん盛りこまれた異彩を放つ辞書でした。

定価四八〇〇円の『大字典』は、ゲームやおもちゃがたくさん買える値段でしたが、結局、私は我慢できずに、お年玉を使って買いました。一九七八年のことでした。ほかに立ち読みする人もいなかったようで紙の端にのりがまだだいぶ付いていて、それを一枚ずつはがしながら見ていきました。

ただ、やはり何度見ても一七〇〇〇字は一七〇〇〇字、「龍」は三つの「龘」まで。『大漢和辞典』にはこの三倍くらいの量の字が載っている。この字とこの字との間に二字ずつある計算になる——そう思うと、ますます『大漢和辞典』がほしくなっていきました。『大字典』を開くにつけ、『大漢和辞典』への思いはつのる一方です。

同じ頃、本屋で、それぞれの見出し字に現代中国語の発音までローマ字(拼音(ピンイン))とカタカナで書いてあるなど異彩を放っていた小林信明編『新選漢和辞典』新版一五刷(小学館、一九七八)を見つけて購入しました。兄の持っていた同名の辞書の最新版でした。一三〇〇円は安く感じた記憶があります。拼音とカタカナ表記のズレはそういうものなのかと納得するしかありませんでしたが、「萘」で中国語音がナイ、意味はナフタリンなど新しく作られた化学元素や分子の名に当てた漢字が豊富で、『大字典』や『大漢和辞典』を補えて、これらで漢字を網羅(もうら)できるだろうと考えたのでした。

ついに購入!

こうして『大漢和辞典』がどうしてもほしくなった私は、母に相談しました。すると、父は「そういうものは図書館が買うものだ」と言って反対しているとのこと。しかし母は、「一番のものを見ないと。役に立つのであれば」と賛成してくれたのです。

ただ、家は、戦後は繁盛したという小さな店でしたが、近所にスーパーができてからは決して裕福ではなく、以前からおねだりは祖父母にするようにしていました。祖父母は店を父に譲り、となり町に引っ越して、アパート経営をしていました。

『大漢和辞典』全一三巻、一一万円もします。お年玉も無駄づかいをせずに数万円と当時ではかなりの額を貯めていたので、それに足してもらおうと思い切ってお願いしてみたところ、祖父母は、「勉強になるならば」と、本代を工面し、援助してくれたのです。

明屋で慣れない注文をして、家に『大漢和辞典』が届く予定の日、私は中学校から走って帰ってきました。家には大きな段ボール箱が届いていました。その中に、さらに一巻ずつ漢字が印刷された立派な厚紙のケースに納められた『大漢和辞典』がありました。

重厚な金文字でかざられた真っ黒な装幀の一三巻を畳の部屋に紙を敷いて並べ、わくわくしながら一巻ずつ開いていきました。ケースや背文字には、その巻の最後の字がきちんと明朝体で示されているのです。一万五〇〇〇ページもの中に、美しく端整な活字(写研の石井明朝という書体)で整然と印刷された見知らぬ字に、釘付けになりました。あの夢にまで見た「龍」が四つの六四画の字も、たしかに収められています。

こうして手に入れた『大漢和辞典』をさわる前には、石鹸できれいに手を洗って、ケースから取り出し、正座して開き、読んだりながめたりしました。知っている字のほかに、よく知らない中国の古典の世界や、考えられないような形をした漢字、ときどき混ざっている日本の書物の名や「国字」というマークにも目を奪(うば)われました。来る日も来る日もながめて、漢文が読めなくても新たに見知った字を目と頭に焼き付けていったのです。

何が人生や世の中の役に立つのかは、最初の時点ではほぼわからないものです。新本で、割引もなく買ったわけですが、今になって思えば、これほど私の人生を変えてくれた買い物はありませんでした。この『大漢和辞典』はその後も活用し続けて、十二分、いや計算不能なほどに元を取ることができました。そんなことよりも、教養が深まった、心が豊かになったというだけで十分でしょう。人に迷惑(めいわく)をかけることを除けば、本当に無駄なことなんて世の中にそうはないものだと思います。

『大漢和辞典』に対する「なぜ?」

『大漢和辞典』は大部ですから、辞典といえども瑕瑾(かきん)があるのは当然です。見つづけるうちに誤植(ごしょく)らしきものも何か所か見つけました。疑問もたくさん出てきました。図書館に行って本を調べて解決したこともあるのですが、謎(なぞ)が深まることも増えました。

出版社の人ならばくわしいだろうと、『大漢和辞典』の画数の末尾のあたりによく引かれている『捜真玉鏡』や『海篇』とはどういう本なのか、など疑問を手紙に書いて出してみましたが「それはわからない」と、丁寧なお返事を各社からいただきました。そうして『大漢和辞典』も立派な辞書に違いないが、金科玉条、不磨の大典でもなさそうだ、そう思えてきたのです。編者の住所はわからないので、出版社に漢字に対する思いをつづった手紙を送ったこともありました。

高価でしたが思い切って買った福田襄之介『中国字書史の研究』（明治書院、一九七九）という本で読んだのだと思いますが、広尾駅の近くにある都立中央図書館に『篇海』という辞書があると知り、一九八一年四月一八日、身分証明書の生年月日を改竄して行ってみました。身分証は見せる必要がありませんでした。四階の諸橋文庫で『篇海』を出納してもらい、閲覧しました。その日に記した日記のようなメモには「なる程これこそ最古の画引字書的だと思った。玉篇、龍龕系の字書だなと思った。思ったより俗字が少なく以外（意外の誤記）だった」と記されています。節略版だったため奇字が少なく残念に感じました。字数はおよそ二〇〇〇字と推計していました（のちに、より古い画引き字書があることを知ります）。

『中国字書史の研究』は明代の字書『海篇』の類についても調べ上げた博士論文を本にし

た格調高いもので、感銘を受け、ここまで調べないと博士にはなれないんだと驚きました。

そうした字書にある字も見つけていき、だいそれたことに明代の『字彙』という漢字辞典を補った清代の『字彙補』のように、自分で『大漢和辞典補』を作るんだ、と変わった字を集め始めたのです。こうして私は、拡大する一方のカオスに対して秩序を見出し、整理もほどこしたくなっていったのです。

その一方で、だれかに拘束されることや、理由のわからない指図をされることが苦手な私に、自由のない中学校はさらに気の重い場所となりました。部活などもってのほかでした。暴力が横行するすさんだ環境の割には友達に恵まれましたが、理不尽で感情的な教員もいて、下校時刻になると一刻も早く逃げ出したい場所でした。

白い手袋の少年

中学二年生の時のことです。部屋に突然やって来た同級生が、棚に収めてあった『大漢和辞典』を見て「何だこれは」と言って一三巻目の索引巻を手にとると、パッと開いて元に戻しました。外から来たのに洗わない手でさわられたので、白い紙にははっきりと黒く指の跡が付きました。消しゴムをかけても手垢は消えず、うっすらと汚れています。神聖なものを、けがされた気がしてなりませんでした。

　勇気をふりしぼり版元の大修館(たいしゅうかん)書店に電話をしましたが、「分売はできない」と言われ、「全巻を買ったのですが、索引が壊(こわ)れてしまって」とうそをつきました。「それならば」と、そろいの定価の一三分の一の値段八二五〇円を提示され、ホッとしてお金を準備しました。

　こうして私は、特別に索引だけを買いに、生まれて初めて奥付と電話帳で知った神田錦町(かんだにしきちょう)というところへ向かいました。ろくな地図も持っていなくて、駅から歩き回った末にやっと見つけた大修館書店は、ものすごく立派な会社を想像していましたが、大きくはない社屋でした。一階の窓から用件を言うと、座って仕事をしていた二、三人がジロッとこちらを見て、その一人の男性社員が奥に索引巻を取りに行き、持ってきてくれました。

　このできごとには、後日談があります。漢字にくわしい、大修館書店の社員だった円満字(えんまんじ)二郎(じろう)さんから、「むかし、白い手袋をした子供が、『大漢和辞典』の索引だけを買いに来た、という伝説が社内に伝わっている」という話を聞いたのです。その子供とは、私のことでした。寒かったので、白ではないですが手袋ははめていたかもしれません。

　その後、索引は使いすぎて本当に表紙がはがれ、二つ買ったことが役に立っています。いまでは手垢で汚された方を使っていますが、使いこんで全体的に真っ黒になっていて、もう何も気になりません。使い慣れたので索引なしで引くことも増えました。

桃源郷発見

さて、索引を買った神田からの帰りもまた、どこをどう歩けば帰れるのかがわからなくなり、適当に歩き始めました。大通りを歩いていると、本屋がずらりと並んでいます。その中の一軒に入ってみると数多くの書道の本が置いてあり、ここに来ればどんな字書でも手に入ると興奮しました。古い本や中国から輸入された本がそこここの書棚に並べられています。加藤常賢の『漢字の起原』(角川書店、一九七〇)で目にしていた『説文古籀補』のような漢字研究に関する中国本が、普通に置いてあるのです。帙をひもといて広げて見ると、そこには転記される前の、中国のめくるめく世界が広がっていました。

そこは、まさに桃源郷でした。戦前からありそうな古い建物、居並ぶ本屋、天井まで専門書が積み重ねられた古書店。冬の寒い日で、わずかなお金しか入っていなかった財布から百円玉を取り出して、自販機で初めて缶コーヒーを買って飲みました。当時しもやけができやすかったかじかむ手に持ったその熱い缶、甘くほろ苦い味に、大人の世界を感じました。

この桃源郷に出会えたのも、部屋に乱入して索引を汚して去って行った、その時は迷惑なことをと恨んだ同級生のおかげでした。それから何度か、またそこへ行こうと足を運びましたが、見つけることはまるでできませんでした。ネットもない当時、そこがどこだったのか、方向音痴の私にはまったくわからなくなり、「夢だったのでは？」と、しばらくの間、不思議な感覚に包まれていました。

しばらくして、再びそこを発見しました。何かでそこが神田の古本街だったということを知ったのです。父からは、御茶の水駅の方までずっと古書街が続いていると教わりました。神田には、いろいろな本屋があり、中国書店もいくつもあり、さらに水道橋、本郷などにも足をのばすようになり、手の届きそうな本は迷いながらも購入しました。

広がる興味と、もどかしさ

さて、この頃、何かで知った書道博物館という施設が気になっていました。中村不折という方が集めた甲骨文字や金文、石文、璽印文、封泥文、瓦当文、瓦削文などの実物のコレクションが見たくなったのです。インターネットなどない時代、電話帳で調べましたが書道美術館しか見つかりません。同じものではないかと思って電車に乗って行きました。階段をのぼって、中の女性に丁寧に会釈をされて、やはり雰囲気が違うと気付き、引き返してしまいました。

やっと調べが付いた一九八〇年八月一五日、夏の暑い中、都内の根岸界隈の静かな通りにたどり着きました。来館者は他に一人くらいしかおらず、三〇〇〇年以上前から数百年前までの中国歴代の肉筆の世界にひたることができました。その日の日記のようなノートには「甲骨文は以外（意外の誤記）に字が小さかった。三体石経などの石刻の字が思ったより深く削られておらず浅めだった」などと書かれていて、最後に「又も、漢字の世界の奥深さを知った」と、子供らしさのぬぐえないまとめをしていました。

当時、字源の辞書も数点、買い始めていましたが、書いてあることがバラバラで、それぞれに素人には判断しにくい根拠が示されていました。しかも、ときに学者同士が批判の応酬をしており、あまりここには深入りしない方が良さそうだと思うようになりました。

検定試験よりも……

漢字能力検定一級や、漢字検定試験五段、漢字読み書き大会の「漢字博士」などは、本やテレビなどで見かけ、少し気になっていました。しかし、「出題される内容がかたよっている気がするぞ、答えはほんとうにそれだけなのか？」などと例によって疑いました。そして、覚えることを目的にすることや、覚えた量を競うのは自分には合わないと思い、そうした試験の類は受けませんでした。

イエローマジックオーケストラ、略してYMO(ワイエムオー)という音楽バンドが一九七九年に欧米ツアーから凱旋(がいせん)して、多大な人気を博しました。YMOの曲名は、漢字の面でも刺激的でした。たとえば「東風」はトンプーと読みますが、あれ？「プー」は中国語の発音と違うぞ、マージャンの中国語もどきのようだ、と思ったり、「ライディーン」は勇者ライディーンからとったのか、「雷電」とはその音訳なのか別語なのか、と考えたりしました。

街には、塀(へい)や壁面(へきめん)に「鏕」という不思議な字が落書きされていました。何かの本で「みなごろし」と読む暴走族の名と知って、うわーと思い、辞書を見ると異体字(いたいじ)ではあるけれどたしかにそう出ていました。「卍」「〇〇連合参上」もスプレーペンキでよく落書きされているなど、こうした漢字があちこちあふれていました。

私は、『大漢和辞典』から、とくに変な形だと感じた漢字をノートに抜き出していました。六四画もある字は、「𪚥」のほかもう一つ「𠔻(せい)」も載っていました。それらをあちこちに書いていました。しかし、街中の看板などで見かける「第」の略字「才」、「門」の略字「门」、「曜」の略字「旺」などがどこにも見つからない。簡体字(かんたいじ)さえも付録で載せているのに、こうした略字は載っていないのです。

「靍(つる)」は、小学校の下の学年の名簿(めいぼ)で名字の中に見かけ、「囍」(横線がつながるような変形も)はラーメンのどんぶりでよく見ていました。どれも、生活の中で普通に使われているのですが、やはり収められていませんでした。古文に出て来る「上臈(じょうろう)」などの二字目の「臈」という字体や、日本神話に出てくる神様「イザナギ・イザナミ」の「ザ」に用いる「弉(奘)」もないことに気が付きました。これらのいくつかは後に補巻に収められました。

また、家で取っていた新聞は景品をもらうためによく交代したのですが、ベビー用品の会社が「働く」を「⿰亻考く」と書いていると造字を示す広告が出たり、「⿾馬(左馬(ひだりうま))」は独特な筆順で書いて紙を反転させるという話が記事になったりしていました。一九七九年ころ、それらを読んだ私は、おもしろいけれどもこんなものは記録するまでもない、と線引きをしてしまったのですが、その後、どの新聞だったかもはっきりせず、たしかめるために大量の新聞の縮刷版などを繰(く)りながら、記録しなかったことを後悔(こうかい)したものでした。

漢字と経験

明治の末に富山の農家に生まれた祖父は、苦労を経て都内でアパートを経営していたので、よく廊下に手書きのはり紙をしていました。「御」はくずし字でサッと書きますが、私には書けません。そうしたこともきっかけとなったのか、私は崩し字や略字がどのくらい読めるのかと調査表を作って、母、父、兄に答えを書いてもらいました。大人や年上の人の崩し字や略字の使用と理解の実態を知りたくなったためです。そして、外出することの多い母が一番よく読めて、父が一番空欄が多いという結果を見ました。この時、社会との接触が略字の認知度を決めると気付いたのです。

その頃、中学校の男子に必修だった技術という科目で、製図を習いました。製図の文字はこう書くものだと、先生が枠一杯に「口」ならば「□」のように字を仕上げていきました。のちに製図用の文字もCAD（コンピューターによる設計）の書体に切り替わってしまいましたが、こういう分野や素材ごとに独自書体があるという知識にふれて、実践する経験を得られたのはありがたいめぐり合わせでした。

何彼時話かな

図3-2　変体少女文字の例（笹原宏之著，岩波新書『日本の漢字』より引用）

また、当時は丸文字（漫画文字）が女子を席巻し、社会のあちこちで議論を巻き起こしました。評論家が本を出して、こうした丸文字の書体を「変体少女文字」と呼びました（図3-2）。

学校では、先生が「答案で丸文字は×にする」と怒って話していました。

いつまでも続くと思われたこの丸文字ブームも、かわいさが変質したのにともなって「長体ヘタウマ文字」へと変形し、さらにそれをもとに電子媒体で表現されたギャル文字、その手書き版へとトレンドが移っていきました。丸文字はフォントに健在です。

そのころテレビには、大橋巨泉、ザ・ドリフターズ、植木等、野坂昭如、遠藤周作（狐狸庵先生）、岡本太郎など、自由で不思議な大人がたくさん出ていました。映画評論家で「サヨナラ、サヨナラ、サヨナラ」というおもしろいしゃべり方をする淀川長治も、好きなことを仕事としてやっていていいなと思っていました。この方は、子供のころ、神様に映画の仕事をしたいと誓ったそうで、「それならば、私も漢字の神様に誓おう」と思ったものでした。

当て字にがっかり

一九八〇年六月一九日、家で朝日新聞を読んでいたら、東京版（都内版）で、ニュージーランド大使館が当て字の一字を募集している、という記事が目に留まりました。その紙面の切れ端が今でも残っているのですが、当時の新聞は、そうとう小さい活字で印刷されていました。

私は、たしか「新西蘭」という当て字が漢和辞典などにあったはずだとノートを確認し、ニュージーランドの一字での当て字は「新」だな、と思いました。「西(スペイン)」「蘭(オランダ)」は他の国に使われています。ただ、「NEW」を意訳してシンになるのは国名ではめずらしいし、シンガポールとまぎらわしい、などと迷いましたが、ハガキに書いて送りました。

それから四か月近く経った一〇月、「朝日新聞」を開いて、びっくりしました。なんと、ニュージーランドの当て字は一番多かった字に決めました、それは「乳」でした、と書かれた記事が目に入ったのです。びっくりするとともに、大人たちは何を考えているんだ、とがっかりしました。そして、おかたい新聞紙面で「豪乳関係」「乳首脳」などの見出しが出るわけかと困惑しました。その後、ニュージーランド本国からの要請で、「乳」は使わないということでこの当て字騒動は幕を閉じました。のちに整備された新聞データベースには、「貿易を乳製品ではなく重工業のイメージで行きたいから」といった理由の記事が残っています。いま、新聞では「NZ」というちょっとかっこいい略称が使われますが、これでは依然として「日豪(日本とオーストラリア)貿易」のような熟語が作れず、言葉のうえではやや遠い国のままといわざるをえないのです。

書店や図書館に足しげく通う

さて、近所にあった中野区立図書館には、最上階に参考図書、専門書の部屋がありました。新聞に出ていた最新の名字の辞典も置いてあり、足しげく通い、大人たちに混じって入りびたっていました。本やその中の章節では、タイトルはおもしろそうでも漢字についてではなく語そのものについての話になっているものが多くて、何度もがっかりしたものです。こうして、自分は漢字や漢字文化というものが一番好きそうだと気付いてきました。

中学生のころから、よく新宿のデパートに行っていたのですが、上の階にある本屋の雰囲気が気に入っていました。ある日、その書店で、棚のやや上の方に杉本つとむ編『漢字入門『干禄字書』とその考察』(早稲田大学出版部、一九七七年改訂増補)という本を見つけました。これはほしい、でも財布を見ると、買えば帰りの電車賃がなくなる。迷ったあげく、歩いて帰ればいいや、と買って大切にカバンに入れて、線路沿いをちょうど一時間、歩いて帰りました。この一冊からは異体字のこと、書誌学のことなど基礎的な情報に加え、その先に見える漢籍の原典の世界の一端にふれられました。

4 脣(くちびる)から唇(くちびる)、膚(はだ)から肌(はだ)へ
——当用漢字から常用漢字へ

始まった高校生活

これまでお話ししてきたように、私が小学校で良い成績をもらえていたのは二年生まで。中学校でも、引きこまれる先生のお話はよく聞きましたが、「テスト直前に勉強するのは邪(じゃ)道(どう)だ」と決めつけて、試験は準備をせずに受けていました。そんなことで成績はなんとか普通でした。

高校入試も同様でした。高校受験は当時、「受験戦争」と言われ、偏差値(へんさち)や内申点が重視されていました。私は例によって電話帳を開いて、私立はどこがいいかと探してみました。

インターネットなどない時代です。結局は、学費が安い都立高校で、受験可能な学区の普通科で低いラインにあったN高校に進学しました。見知らぬ人ばかりでさびしかったのですが、気分を一新することができました。

初めての電車、バス通学。ブレザーに赤いネクタイをきちっと締めた上級生が入学式の椅子をきちんと片付けている。皆の革のカバンのにおいのする教室で春の陽差しを受けながら、陰鬱な中学校から解放され、何か素敵なことが起こりそうな、そんな予感がしました。

一年生の最初の実力テストが返ってきて、校内偏差値を見たら、国語はまあまあ、数学は思った通り悪かったのですが、英語に至っては、「29・5」とコンピューターのドット文字で印字されており、さすがに親には見せられませんでした。次の回も、「38・0」で、それが「実力」だったようです。また、理系はどうでもいいやと思っていたのですが、二年生になった四月の初めに数学の授業で当てられて答えられずにいたら、「笹原みたいにわからない奴がほかにもいるだろうから」と教員の言葉を浴びました。気になっていた女子が授業後にニヤニヤしながらチラッと視線をくれて、悔しくはずかしい気持ちになりました。

やっと勉強に集中

同じクラスになったその人の前で良いところを見せたい、何かで一番になりたい――私はそんな思いから、学校の勉強をし始めたのです。久しぶりに、いや初めてといっていいほど、漢字以外のことにもなまけずに集中してみました。すると、都立高校の入りやすい学校だったので、成績はぐんぐん上がっていきました。

ただその人はどうした理由からか、一学期を終えて退学してしまいました。私はしばらく虚無感(きょむかん)にかられましたが、昇華(しょうか)というものでしょうか、学問をやりたいという気持ちにつながっていったのです。その人とは、たった一度だけ、直接話をしたことがあります。先生が休んだために自習になってプリントが配られたときのことです。そこに「思惟」の読みが問われていました。「どう読むの?」彼女は近くにいた私に聞いてきました。私は落ち着いて「しすい、いや、しいだと思うよ」と言いました。彼女は「しいだって」と言いながら書きこんでいました。

まさかのビリギャル超(ご)え?

二年生のうちに、英語の校内偏差値は「99・9」と細い短冊のような用紙に印字されるようになりました。「29・5」でさすがに劣等感(れっとうかん)にさいなまれた一年の初めから、七〇以上も上がったわけです。三回続けて「99・9」だったので、どういうことかと数学の先生に聞くと、三桁しか表示できないので、そうなっているとのことでした。都立普通科で基本からくり返して教えてくれたおかげですが、それに加えて、校内偏差値は、母集団が小さくて極端な数値が出るそうです。

ともあれ、高校時代の私の成績は、ビリギャルを超える振れ幅を持っていたと確信します。熱心な良い先生がたくさんいて、親身にアドバイスをして下さったのもよかったのだと思います。復習に力を入れ、かわいたスポンジのように、授業内容をもらさず吸収しました。

こうして三年生になっても満遍なく勉強を続けたため、ついに学科目はオール「10」となり(体育は反比例していきました)、それを下げるのもいやなので成績を維持するように、大学も現役で受かるようにと独学で勉強を続けました。受験科目とは関係ないものが多かったのですが、全科目をきちんと学習することで、ぼんやりとですが学問の体系性や学問分野の間のつながりも意識することができてきました。古文と漢文、それらと英語、英語と世界史などです。

とくに物体の運動を数式で表し、その際のエネルギーまで算出する物理はおもしろく、こまごまとしたルールだけでなく、エネルギー保存の法則のようなスケールの大きいとらえ方まで学び、「この世界全体を説明できるような原理を自分も見付けられないものか」と空想しました。アインシュタインが従来の力学の常識を乗り越えたことにも、このころ、わずかでしたがふれることができました。

異体字に関心

漢字の話に戻りましょう。高校時代、雰囲気があってロマンチックだと感じて「想う」「碧」などの学校で習わなかった表記を、家で、詩、漫画、イラスト、文章のようなものを書く時に使っていました。これもほとんど俗にいう中二病というか、私の黒歴史ですが、こうした感情と経験が、のちの私の辞典作りにつながっていくのです。

そして高校時代、先にふれた『漢字入門』に紹介されていた高額な『異体字研究資料集成』(杉本つとむ編、雄山閣出版、一九七三〜七五)全一二巻もほしくなるなど、漢字に対する扉がさらに開かれていったのです。やはり祖父母は「勉強になるならば」と最後の援助をしてくれました。父は心配して、学校の勉強にはならないと言っていました。

『異体字研究資料集成』に写真で載った手書きされている昔の資料を見ていくうちに、資料によってある漢字の形が正しいのかどうかの判断に違いがあることに気付きました。さらに、学校で習う字はもちろん、漢和辞典などさまざまなところで正しいとされている字とは違う字が正しいとされていることもかなりあるではないですか。当時の私は「規範は絶対で、標準となる正しい字は一つしかない」という単純な思考回路しかもっていなかったので、これは解せないものでした。やがて、筆で書いた字はそういうものだったんだ、と何となく納得し、それらが手書き文字の権威とされた江守賢次が「書写体」と呼ぶものに近いことを、書籍を通じて学んでいったのです。

国字に注目

ところで、『大漢和辞典』の部首別に集められた字は、画数ごとにさらに分けて並べてあります。その末尾の方に「国字」というマークをともなった字が置かれています。それらにはたいてい訓読みが付けられていて、どことなく意味も作られた方法も理解しやすいのです。しかし、具体的な文献での使用例がほとんど載っていません。『大漢和辞典』を全ページめくって目を通すということを二回やってみました。また、その前には、大体この辺りにあったな、と思い出しながら、また新たにページを繰りながら、国字集めをしてみたのです。

ただ、「国字」とあってもイレギュラーな表示で国訓にすぎないと判断されるケースや、マークはなくても国書からしか引用されていない字などもあって、あわせて拾い上げました。『大漢和辞典』は漢字を五万字も載せていながら、国字は二〇〇字たらずでした。『論語』や『史記』などの漢籍ではない国書だって立派な本であって、そこでの使用例も出典としてあげるべきだ、古辞書や初出だけでも示し、歴史をとらえられるようにしないと、と考えるようになりました。

実家や祖父母の家にあった都内の電話帳からも国字を抜き出しました。ただ細かい字で淡々と印刷されている名字と名前を全部調べることは難しい、他の手段もありそうだと判断し、目次に示されていた一字目を中心に拾うにとどめました。『異体字研究資料集成』に収められている『同文通考』『国字考』『倭字攷』なども引きましたが、その頃は国訓となると興味が冷め、逆に国字とされていなくてもこれはもしやと見つけたものは書き出していました。

こうしてマニアックなコレクションに留まって楽しんでいた段階から一歩進み、何かを対象にすえて客体としてとらえ、観察したり実験したり関連事項などを調査したりし、そこにかくされた事実を考察、分析によって解明する、そういう「研究」の過程が、入口程度ですがやっと見えてきたのです。

絶対の存在であった辞典というものも相対化し、また各辞典も改訂によって、新たに広まったものの増補と消えたものの削除をくり返して今の姿があると理解できたことで、以前は許せなかった「秋桜」という当て字も、受け入れることができるようになっていきました。

さらに高校時代には、漢和辞典やいくつかの漢字に関する本も手に入れて、さまざまなものを材料にして国字の情報を原稿用紙に整理しながら清書していきました。たまたま文化の日に完成したので、その日に序文を書きました。名字に関する辞典も数点集めていたので、そこからは悉皆調査（全数調査）をして、抜き出しました。ハングルや注音字母、奮発して買った『雑攷』という戦前の本から朝鮮（韓国）の国字も漢字に関連すると見なし、勉強を兼ねて採用しました。

こうしてたくさんのめずらしい字を並べていくうちに、数が多くなったので、部首画数順だけではない整理もしたくなってきました。一口に国字と言っても、ある集団の中だけでしか使われない字、ある地域で使われている字など、使う人の範囲にも違いがあるようでした。

それらに対して、後に、一人しか使わない字には「個人文字」（文字と言うには社会性がとぼしいのですが）、ある集団で使う字には語彙論から位相語という概念を準用して「位相文字」、ある地域でしか使わない字には方言論から「地域文字」（方言漢字）などの用語を考え出し、定義づけを試みて使ってみました。社会全体で使う共通文字に近い常用漢字などに対する文字や文字の集合として分類枠（ぶんるいわく）を設定し、当てはめを始めていったのです。すると、それぞれの字の性質のイメージができてきて、歴史を立体的につかめ、変化が起こるメカニズムがダイナミックにとらえられるように感じられました。

国語学（日本語学）に出会う

休みになると本屋やあちこちの図書館に向かいました。そこでは、国語学（日本語学）の本も手に取るようになっていました。文法と絡めた意外な観点やひらがな、カタカナ、記号、ローマ字などについてもくわしく教わりました。でも、書名やタイトルに「漢字」と付けていながら、開いてみたら、周辺の文化や日本語の話ばかりをするものがあり、はぐらかされたような気持ちもいだきました。

しかしあちこちで見たある先生の文章は、漢字を対象にすえて批判的に記述をしていました。国立国語研究所という厳粛（げんしゅく）さのただよう名前の研究所にいらした先生に、気になって仕方なくなっていた漢語のようなある和語について手紙でおたずねしたところ、語種を明示した国語辞典を見ていくようにとアドバイスを頂きました。思い切って将来の進路についても相談してみたところ、はっきりと大学院まで進むようにと諭して下さいました。

このころには成績がのびていたため、ふざけて私に「先生」と呼びかけてくる不良っぽい生徒たちも現れましたが、当初の予備校の模試の結果は、志望校に早稲田大学と書いてみたところ、返ってきた合格の可能性は「5%未満」でした。

古代中国だけでは

高校時代には、加藤常賢、藤堂明保、白川静のような学者に代表される、古代文字を中心にすえた伝統ある漢字学である「小学」という分野にあこがれていました。座学を夢見たわけですが、実際には、本にすべてが書きこまれているわけではないとだんだんわかってきました。小学は伝統があるため、逆に固定化した見方や考え方、対象の範囲が定まっていて方法などに束縛もありそうでした。また、手書きの資料は字体が読み取りにくく、活字になっていると正しく感じていたのですが、活字になる過程で出版社や校正者の手が入っているため、誤読や誤植、独自の解釈も入りこむことがあります。こうして活字信仰はだんだんとうすれていきました。

しかし、すべて原典に当たることは困難です。影印(原典を撮影して本にしたもの)や原典のコピーであっても、虫食いか汚れか点画かはっきりしないこともあると知って、虚無感に襲われました。また、漢字の字源の話は根拠が読み取れないことがしばしばあります。古すぎて究明しがたい部分があるので、むしろのちの人々がどう字源を推測したか（二次的な字源解釈）、どう意識して使ったり、それによってどう形態を変えたりしたかの方が重要だと思うようになっていきます。

　漢字は歴史があって複雑で表情豊か、数も多く、表す意味や発音、語など用法も多彩です。魅力を感じるのに十分な文字なのですが、それを使うことで自分がかしこく高尚になったとうぬぼれさせてしまう、魔力のようなものも持ちあわせています。その魔力の正体とその源泉をつき止めないといけません。つまり字源よりも、わかっているようでじつはまだわかっていない中国や日本での使用に関する個々の事実と、現代をふくめた通史をしっかり調べる必要があると考えるようになりました。実際に調べていく方法も多岐にわたって開拓されていて、調べていけば理由が解明されることが多々あるように思えたのです。

　高校では、芸術科目に書道を選択すれば後々のためには良かったのですが、小さい頃から絵や工作だけは得意とほめられてきたこともあって、美術を選択しました。美術や芸術は正解のない世界ですが、他者に訴えかける作品を生み出すためのアイデアや技能に対して、評価が与えられます。時には趣味を少しこじらせ、篆書の「子」に雲間からの陽光を当てた絵を描いたり、木箱に西夏文字を彫って「呪いの文字か」と恐れられたりすることもありました。そうこうしているうちに、芸術は、他者がどう感じるかで評価が左右される面があるため、文学と同様、自分には適さないと感じるようになりました。

このようにまわり道をしながらも、国字に対象をしぼって、情報を集めて整理し始めました。一字一字の実在と背景の探究が楽しい一方、理解を超えていてさらなる調査を待たねばならないものもありました。のちに、これが一番の専門になっていきます。

『小学雑記稿』を書く

部活は、この高校には自分たちが求めるものがないと思い、友人たちと三人で雑学研究会を立ち上げました。お題を出して、それぞれがノートに書いてきたものを回し読みして、余白に書きこみをするのです。私はこれを『雑学的随筆集』と題して、一九八二年二月から四月にかけて、漢字、綺麗な文字、友達の書いた文字種の集計、珍名などを思い付くまま自由に、また調べながら書きつづりました。絵を描いたり、詩を書きつけたりもしました。

自意識が頂点に達していた一五歳のとき、『小学雑記稿』という自作のノートを作ります。

その序文に、孔子は一五歳を「学に志す」年であったとしたと記しています。この頃の文章は半可通で青くさく、受け売りも多くて世間知らずなものでしたが、この時点で未熟ながらここまでは知っている、ということをきちんと整理して記録しておきたい、という気持ちが生み出したものでした。

また、当時は世界の記録や珍記録を集めた『ギネスブック』の日本語版を読むのが大好きでした。最も背の高い人、体重が軽い人、なんとかという豆を食べるのが速い人など、世界中の極端な人が紹介されていました。事物の一番も記載されており、当時は言語という項目まで設けられていて、母音が最も少ない言語、最も長い英単語、電話帳の最後の名前など、目を奪われワクワクしながら読み返しました。なかには「最も画数の多い漢字」という、編者のイギリス人がよく集めたものだと感心するような項目まで設けられていました。

ただ、中国や日本の記事には概して不十分な点があり、それを補う本も刊行されましたが、漢字については補訂されませんでした。そこで、自分で漢字についての情報や知識を網羅してみようと思い立ちました。知っていることはもちろん、知らないこともこの際調べていこうと思い立ったのです。

初めは「漢字のいろいろ」という簡単なまとめを作りました。その後に、「漢字GUIN-

NESS-BOOK ギネスブック」と名付けたノートを作って漢字のもつ極端な点を押さえようとしました。一九八一年の四月、春休みの夜中に思い立って始めたことでした。

次々に出てくる情報、絶え間なくわき起こる疑問に対して、さらに整理をしたくなりました。『小学攷稿』や『漢字雑記稿』と題して次第にまとめていき、さらにそれをもとに徹底した補訂をしながら、何か月もかけて基礎的なことがらを約七万字書いてまとめあげた『小学雑記稿』二冊の序文と跋文(一九八一年一一月二六日付)を見ると、朝鮮やベトナムの記事が少ないなどの欠点を認め、「漢字に関する知識を完全なものに近づけ続けていく」という誓いをしたためています。

それに続けて、一五歳までの自身の知識の不完全さを厳しい眼で反駁し補正していこうと『駁小学雑記稿』を書き始めました。この三冊で引用参照文献は一〇〇冊くらいになっています。その後も続編を書き続け、大学の学部生時代の途中まででノートは二十数冊におよびました。

毎日のように、漢字や日本語、東アジアの言語に関して大切だと思う知識、情報、見たり読んだりして気になったことをそこに清書していきました。漢字について全体を把握し、個々の極端な事例を包括的に記述するという難題ですから、ときには漢字圏で一日に生み出される文字の総量なども、何度か根拠を変えては推算していました。
しかし、完成をめざし、調査を早く終わらせることを目標にしているうちに無尽蔵な資料に追いつめられ、このあと、つかれきってしまうことになるのです。

「常用漢字表」の公布

ところで、先のコラムで説明したように戦後の漢字制限は、皮肉なことにそれで育った人たちからも、もっと漢字を使いたいと声が上がるようになり、内閣告示・訓令の「当用漢字表」は廃止され、規制を緩和したような「常用漢字表」へと切り替えられました。

その間に、当用漢字の字体表や音訓表も公布され、さらにその音訓表はゆるめるように改定され、新聞界からの要望に応じた補正資料（補正案）も出るなど、少しずつ修正が試みられていました。学年配当や筆順、その字形をめぐる議論も盛んでした。

常用漢字表への切り替えは、その数年前から、そして公布の当日には、新聞に大きく取り上げられました。一九八一年一〇月一日、私が高校二年生の時でした。「ぎょうせい」という出版社の名にひかれて『常用漢字表』という冊子を買って、変更箇所などをたしかめました。高校教科書は、常用漢字の公布後も活字が切り替わらず、肩すかしを食らったようでした。学習指導要領の改訂時期もあるので、検定などでも移行期間が設けられていたのでしょう。国語をはじめとして、先生方もなにもふれませんでした。当用漢字字体表の導入時も、活字はゆっくりと入れ替わったものでしたが、今回も「殻」「扉」「插」などは同様でした。

テレビCMや新聞のチラシ、雑誌広告などでは、化粧品に「唇」「肌」が普通に使われていたので、常用漢字への採用は当然だろうと思いました。一九八〇年には、渡辺真知子の「唇よ、熱く君を語れ」という曲がCMソングにもなってテレビでよく流れていました。しかし、「膚」が「はだ」の訓を「肌」に譲ったことにはびっくりしました。看板では「皮膚」が「皮フ」とよく書かれていましたが、線が多くてつぶれてしまうからかと思っていました。

「凸凹」や「挟」も常用漢字に入りました。「「潟」も入ったのは、新潟出身の政治家・田中角栄が偉いからでは」などと邪推をしました。「靴」「缶」(もとはオランダ語との説もあり、そうだとすればめずらしく当て字を採用したことになる)「瓶」「昆(虫)」「襟」(簡易な衿でなかった)「蛍」(ホタルよりも蛍光灯、蛍光ペンなどでよく見ていた)「皿」「傘」「(洗)濯」「(連)覇」「枠」「磨」「褐(色)」などは、生活でよく見かけていたのに、当用漢字では使えない字とされていました。これらも常用漢字に入りました。「猫」は音読みでの日常的な使用が「愛猫家」くらいしかないのですが、猫とともに育った私にはなんとなくうれしいものでした。

代名詞は当用漢字では仮名表記だったのですが、「僕」が採用されました。「愛羅武勇」など暴走族の当て字でもおなじみの「羅」が「網羅」などのために追加されましたし、「駐屯」の追加は自衛隊の要望だと本で読みました。「龍」ではなく「竜」という字体での採用、「宵」という古風な字の採用には意外な思いがありました。

学校の漢字

高校生の私は、表外字（常用漢字表にふくまれない字）についても一家言もっていました。国語の答案に、手書きの「蔑」に校正記号で「蔑」と書き入れる、そういうことをして提出していました。今思えば、自身がたまたま活字で覚えたものが「正しい」と思いこんでいただけで、単独の「戌」「戍」の区別あたりと混ざっていたのでしょう。じつはどちらでもよいものであるにもかかわらず、そんないちゃもんを付けるこざかしく嫌な生徒でした。

漢文の教科書では、石井明朝という書体が使われていて、同じ書体を使っている『大漢和辞典』と教室でもつながっている感じがして心強く、はげまされました（校門に掲げてある校名も編者の諸橋先生の書でした）。ただ、教科書に出てきた中国の前漢初代皇帝となる劉邦の異名「沛公」が「沛」（つくりが亠と巾）となっていて、家でたしかめたところ、『大漢和辞典』

では「沛」となっており、誤植が起きてしまったのかと、残念に思ったものです。これも、習いたての校正記号を使って直しを入れたような記憶がありますが、実際の版本を見たならば、このくらいのことは普通に起きていたことだったのです。

「才（第）」「旺（曜）」など略字は街中でもよく目に入りました。言語景観にはまだ手書きが多く、素人が描いたようなレタリングも随所に見られたのです。中国語学者でもある藤堂明保先生の論に影響されて、「略字の使用の正当性」をレポート用紙にまとめて父に添削してもらい、倫理社会の長文のレポートとして提出したこともありました。

漢字を数える

ところで、本屋に並んでいた角川小辞典シリーズには良い本がたくさんありました。とりわけ『図説日本語　グラフで見ることばの姿』（林大監修、野村雅昭ほか編、角川書店、一九八二）には影響を受けました。日本語や文字について網羅的に、従来の統計や新たな統計を数字と図表で示しているのです。とくに多い名字、よく使われる漢字などに引きこまれました。主観的な論説とは一線を画し、明示された出典と客観的なデータに基づくとこんなにもきれいに実態がわかるのかと、整然と示された計量国語学という分野の方法と成果に感動しました。

こうして言語と文字に関する数値に目覚め、自分の書いたノートの文字を文字種ごとに一字一字数えてサンプリング調査を始めたり、そこからさらに電卓をたたいて比率を出してみたりしました。そこには野球の記録との共通点がありました。こうして数を割り出すタイプの調査を進めていくにつれて、そういう数値となった理由も知りたくなり、個々の質的な面にも切りこみたくなっていったのです。

何でも習ってみよう

そして、漢字を専門としてやっていくんだから、漢字に関係することはきちんとそれぞれの世界で学ばないといけない、と決意しました。およそあらゆる分野において漢字は用いられつづけていて、森羅万象（しんらばんしょう）に関わっているので、視野を広げておきたかったのです。習い事は嫌いでしたが、自分は何も知らないしできないので、一つずつ身に付けて高めていかなくては、と一念発起（いちねんほっき）したのです。

塾のようなものは嫌いだけど通信講座ならばできると思い、新聞の全面広告などを切り抜いて、漢字・文字に関するさまざまな知識と技能、職人技を身に付けていこうと、漢字に関することの中からこれはというものを選びました。「校正、ペン習字、レタリング、ワープロ、書道」と唱えながら順々に学んでいきました。ペン習字のように同じものの講座がいくつかある場合などは、文部省認定とあることを基準に選びました。文字に関するアルバイトもできるのでは、ともくろんだのです。これらは、めずらしく三日坊主にならずに、一歩一歩進めていくことができました。

漢字検定の類は、求めるものが違うし趣味にも合わないと思って見すごしました。ペン習字では、字の形の芸術的な「美しさ」や書式など実用性と実技を中心に学びました。通信講座を通して「正しく美しい日本語や表記」を学ぼうという気持ちもありました。

しかし、テキストを通して受講する中で、「あれ？」と気づかされることも少なくありませんでした。たとえば、漢字の正しさについてです。学術に裏打ちされた字源説に即した字体は、もう「旧字体」という扱いになっていて、「常用漢字は新字体を通用字体として採用した。でも、常用漢字表は目安にすぎない」といったことまで述べられている。権威が発揮されていないことにがっかりしました。「漢字にとって正しさとは？」という問いをつき付けられたのです（なお、その後の読書や講義、さらに一九九五年に呼ばれて参加したＪＩＳ漢字というコンピューターで用いる漢字のセットを見直す委員会で、それは相対的なもの、感覚的なものにすぎないということが、よりはっきりしていきました）。

「ならば自分で作らないと」と、学校でも少し習った品詞表を見ながら、名詞や動詞の語幹は漢字、助詞はひらがな、感動詞はカタカナなど、理屈と経験と感覚を交えながらルールを作ってみました。すると「纏（纒）める」「繋ぐ」「塵芥」のような少し無理なものも出てきます。また例外が多い。そこで、語種を持ち出し、音読みによる漢語は漢字、外来語はカタカナという基準も加えてみました。大層なことに、これを「笹原式表記法」と名付け、これに従うべきだと実践もしてみますが、それにも違和感がたくさん出てきて、しかも前のルールとバッティングするものが続出します。そして、結局は語ごと、語義ごとに個別的に決めていく必要があるのだな、と気が付きました。しかし、文脈ごとに選べばよいというところまでは思いがいたらず、こうあるべきというものを決めようとして、自縄自縛になってしまいました。

さまざまな通信講座を受け、日本語学者の文章にも接し、文字に絶対などなく、ゆれにも各種の表現にもそれぞれの意義や特色があること、正しさや美しさというものは相対的な面があることを思い知らされたのです。

将来についての悩み

進路を気にしだしたころ、「将来、どうするんだ？」と国語の先生が聞いてくれました。進学者がほとんど出なくなっていたこの都立普通科の高校にあっても、先生には熱心な方がたくさんおいでででした。大学に進学する生徒は一パーセント程度でしたが、「漢字を研究したい」と答えると、先生は「うーん」。「漢字について新しいこと、たとえばコンピューターでも漢字を使う時代になるので、何かそういうこともできるんじゃないかと」「うーん」「そういうことをやりたいんですが」「……」。私は、先生方を困らせるばかりでした。

後日、今度は英語の先生とそういう話になりました。何かの本で少しかじって知ったので「言語学の分野に進んだらどうでしょう？」と先生にたずねてみました。「言語学は大学で習ったけど、少し違うなあ」。欧米で発達した言語学では、東洋の個別事情は知られにくく、表音文字は音声の影のように認識され、文法論や音韻論(おんいんろん)などに比べ、歴史的な文字学はともかく文字論はあまり盛んではなく、ましてあらゆる点で複雑さのきわだつ漢字は、客体化も抽象化(ちゅうしょうか)も一般化もしにくいことが災いしてか、ほとんど研究対象とされていなかったのです。

前述のように国語学（日本語学）の存在も知り始めていましたが、中国語学や漢字学なんていう研究領域があるとは、当時は想像もできませんでした。

家庭の激変

ところで、じつは高校二年の時、父母が住み慣れた東京をはなれて伊豆でペンションを開くことになりました。当時は、ペンションがブームでした。私は付いて行かないことにしたので解放感で満たされました。

父は、ペンションを火星の平原の名からエリシウムと名づけ、「楽園という意味だ」と言っていました。父はエリシウムに「絵里詩得夢」と、早くから当て字を考えていましたが、いかにもという字と、訓読みのウが混ざっているために私はあまり良いとは思いませんでした。それでも、ペンションの部屋に置かれたノートに女性らしい字で「素敵な当て字ですね、漢字を研究しているという息子さんが考えたのかな」といった書きこみがあって、心外に思いつつも、良いと感じる人もいるのだと知りました。

このころの日記に、私は「目ざす学問」について「漢字の世界を数字で表す」と書き残しています。『図説日本語』が実現してくれた統計により明確にされた世界に引き寄せられ、「生理、心理、言語、音韻」などもふくめ、学術、芸術、一般的なこと、「漢字文化圏」のすべてを扱おうと、対象を当時考えられるだけ目一杯広げていました。その半年後にはさらに、個々の漢字について存在意義を明示し、漢字の体系化を図り、文字学の精髄を究めたい、とかなり背のびをしていましたが、「本当は、人々と文字との関係を知りたい」と、苦手だった他者への関心が芽生えていました。

漢字そのものよりも、それを生み出してきた理性と知性と感性と情緒のある人間へと興味が向かう、一つのターニングポイントでした。習ったばかりの帰納や演繹といった概念まで駆使して、従来の漢字学よりも広く扱える枠組みや研究方法を作れないかと必死に挑み、もがくようにあれこれと試みていました。

受験勉強

こうして私は、都内に残って祖父母の経営するアパートの一室で一人暮らしをすることになりました。気楽でしたが、風邪を引きやすくなりました。引っ越したその日から風邪で熱を出し、多難な幕開けでした。

大学受験では、漢字の知識が有利に働きました。思考力や判断力よりもまずは暗記力と読解力が問われていたので、イギリス経験論を唱えたフランシス・ベーコンの「知は力なり」

というフレーズをスローガンに、英語、世界史、そして国語にしぼった受験勉強をし続けました（ただ、この言葉の文脈まで確認しようと岩波文庫でベーコンの『ノヴム・オルガヌム（新機関）』を読んだのですが、このフレーズは出てきませんでした。「知識と力とは合一する」とはありました）。

志望校選びも始めました。国公立は対策が間に合いません。字源研究者の白川静氏の著書の奥付には所属が立命館大学とあり、やりたいこととはちょっと違う。でも氏の『漢字百話』（中央公論社、一九七八）は一般向けながら広がりを感じさせるし、と立命館の入試説明会に二回ほどおもむき、先生にお目にかかれるかもしれないと受験を決めました。

私学の最難関であった早稲田大学は、記念受験と思っていましたが、次第に本命に変わっていきました。自由な校風、学の独立、進取の精神、在野精神という文言にもひかれました。早稲田大学受験の直後、帰りの地下鉄東西線の早稲田駅では落ちこんで、でも全部を終えた解放感から、そのまま神田の古本屋街へ向かったことを覚えています。

こうして立命館入学のため京都への引っ越しの準備を始めようかという時に、早稲田大学の合格発表の日を迎え、早大に行って合格者の受験番号が並ぶ掲示板をこわごわ見ると、一〇人、二〇人と飛び飛びの数字の中で、あったのです、私の番号が。

このころ、白川氏はもう立命館の講義はお持ちでないようでしたし、中国文学専修は早稲田にもあり、何よりも大学が近い。大きな大学なのできっと専門に近い先生もいるだろうと思い、祖母がここに残ってほしいと言ったこともあり、東京に残ることを決めました。

直後に、この苦しかった入試とは何だったのかを知ろうと、『科挙（かきょ）　中国の試験地獄』（宮崎市定、中央公論社、一九六三）など、中国の国家公務員試験の科挙に関する本を読みました。これがのちに書くことになる中公新書へとつながっていくことなど予想だにできませんでした。

5 早慶は早庆？
――大学生活で出会った漢字

夢の大学一年生

こうして一九八四年、第一志望だった早稲田（わせだ）大学第一文学部に入学しました。「最高学府」というのは東京大学を指すと思っていましたが、大学そのものを指す語だと知り、思いを新たにしました。日本各地や外国から来たさまざまな学生たちと会ううちに、一時間目を「一限（いちげん）」、一般教養科目を「般教（ぱんきょう）」、（高田馬場（通称ババ）あたりでよく飲む）日本酒を「本酒（ぽんしゅ）」と呼ぶなど、大学生になったと感じさせてくれる集団語や表記ともたくさん出会えました。日本女子大学などでは「本女（ぽんじょ）」も見かけました。

配付された講義要項には「漢字文化史」など、やりたいことに関連のありそうな科目名が目白押しです。教授の氏名の横に「文学博士」という四字が連なっていることがあり、まばゆいばかりでそれだけで敬服していました。とくに青年のようにお見受けした先生は、漢字文化史という演習を一年生から開講されていました。先生は、受講している留学生にたずねながら進行するなど授業に双方向性を持たせ、受講者に思考させる方法をおとりでした。つまり、今でいうアクティブ・ラーニングに通じる講義法が行われていたわけです(この方法は、私も今、教壇で実践しています)。

そこで私は長いレジュメを準備し、三週間にわたる口頭発表をさせていただきました。その時に作った一〇ページ以上のレジュメの中に、いま講義で役に立っているものもあります。

大学ではさまざまな講義を通じて、文字についてよく知るためには、まず音声を持った言語をしっかりと学び、また資料を正確に読解し、文学作品なども味わうことの重要性を教わりました。ただ、どんなに立派な方でも、漢字に対してすべての答えを持っているわけではありません。それでも先生方は大抵の質問に対して答えやヒントを示して下さいました。私も、高校までに習ったことや受験勉強で学んだことをあてはめ、ものごとを考えようと努めました。しかし、すぐに限界に気が付きました。本を読むだけでなく、色々な人と接することや現実の社会を知ることも必要だったのです。その一つにフィールドワークがありました。講義要項を隅々まで探して、言語学、東洋史、古文書学、日本書道史など、漢字や言語に関連が深そうな科目、そして国語学も履修していくことにしました。文学を教えるベテランの教授の講義には、昔ながらの講義ノートを読み上げる方式のものもあちこちにありました。じつはこちらも一年前の講義で級友が取ったノートを見ているのですが、そこに書かれたのと同じところで同じダジャレが話されていました。

入学後、中国語の授業は週に四コマありましたが、学内の語学教育研究所に行って、単位にならないが抽選で受講者が決まる朝鮮語(韓国語)を申しこみ、受講費を払って学習を始めました。当時は、ハングル表記のとなりにかっこに入れて漢字を併記していたので、漢字語と朝鮮漢字音を併せて学ぶことができました。ネイティブと日本人の教員から、週に合わせて二コマ習っていました。中国語と一致する点や異なる点も次々と出てきて、刺激の多い時間でした。

その後の韓流ブームなど予想もできない時代でしたが、韓国本を専門とする書店を新聞で知って、ときどきですが通うようになりました。何でも知りたいという気持ちが、怠惰な私をつき動かしたのです。

構内と図書館で

講義を受けたり大学図書館にこもったりしながら、「もっと知りたい」に加えて、「なぜ?」という問いかけが増えていきました。調べれば調べるほど、疑問も増していきます。

あの『大漢和辞典』も大学の図書館には作業用にいくつも置いてありましたが、すっかり汚(よご)れていました。『大漢和辞典』を引くことには慣れており、授業の下調べをするのにはほかの学生よりも有利でした。講義でもふつうに扱われていました。

図書室で、「言語生活」「言語」「日本語学」といった漢字に関連した記事の載っていそうな雑誌を創刊号から通読して、メモに抜き書きしたりコピーを取ったりしました。意外なところでは、名字や名前の漢字にふれることのある「戸籍(こせき)」という雑誌も関連しそうな記事を探しながら通覧しました。いずれ仕事でそれらに関わることなど、当時は想像だにできませんでした。

大学構内には立て看板が無造作に立ち並び、そこには独特の書体で書かれた活動家とよばれる人たちの略字も見られました。学生運動の余波がまだそここに残っていました。ストライキで試験がなくなったと喜んだのも束の間、レポートが出されて逆に大変だったこともあります。たしか院生になってから見たものでしたが、「講演」を「⿰言コ⿰氵⿱亠工」と書いているめずらしい立て看板もありました。こういうものには書き方に個人差もあり、同じ人でも気まぐれに使ったり使わなかったりすることもあったようです。

また、「早慶戦（そうけいせん）」を「⿱W十⿸广K戦」と書いた貼り紙を戸山キャンパス内で見かけました。なんだか、早稲田の表記が慶應（けいおう）に比べてかっこわるく感じられました。それで色々考え、良いものを思い付いたのです。「昊」と書いて自信満々に同級生に見せたところ、「これは日大（にちだい）だよ」と言われてしまい、「えっ、そうか。たしかに……」と、すっかりしょげてしまいました。

ちなみに、慶應は創立したときの江戸時代の年号から学校名ができたわけですが、たまたま「广」が二つ並んだという幸運があり、さらに読みが「KO」というローマ字とも符合（ふごう）したのです。慶應の略字「⿸广K⿸广O」は一九二〇年代からあったとも言われます。

ある日、大学からの帰りにJR高田馬場（たかだのばば）駅まで徒歩で向かう「馬場歩き」をしながら古本屋で古書を探したところ、目当てだった『日本語の現場』一〜三巻（読売新聞社会部編、一九七五〜七六）が安く売られていました。買って読んだところ、私が生まれる前から最近までの、日本の漢字の実情と背景が、読売新聞社の社会部の記者さんたちによって見事にえぐり出されていて、感銘を受けました。「广K广O」の起源にも迫っていたのです。

習い事と図書館通い

漢字に関する習い事の仕上げとして、漢字の芸術に関することを身に付けようと書道教室に行くことに決めました。ちょうど近所に看板が出ていたので、意を決してチャイムを鳴らし、通うことになりました。仮名がご専門のとても高名な女性の師匠で、たくさんのことを教えていただきました。

大学の学生証が手に入ったので、念願の国立国会図書館に入ることがかないました。目当ての本を出納してもらうための請求は不便でしたが、待ち時間にカウンターの上部の壁面に彫られた、「真理が我らを自由にする」という意味のギリシャ語「Η ΑΛΗΘΕΙΑ ΕΛΕΥΘΕΡΩΣΕΙ ΥΜΑΣ」をながめ、ああ、自分は学問をしているんだという漠然とした実感にひたっていました（図5-1）。

そのころも引き続き、漢字に関するさまざまな情報を集めていました。以前、日本語の千、万などの単位は、横書きの算用数字の三桁の区切りと合わないので、その「ミリオン・ビリオン」に対して、当て字のような数詞を提案するという新聞投書を、反響をふくめて二度ほど目にしたのですが、やはりこういうものは記録に値しない、とスルーしていました。ところがあとから当て字だったか、造字だったか、どの字だったのかと気になりだし、居ても立ってもいられなくなってしまったのです。

また見付け出そうと決意し、当時大学の七号館にあった図書室にこもりました。しかし、膨大な新聞の縮刷版を前に茫然としたものです。新聞社に問い合わせても、逆に電話がかかってきて「その記事とはどういうものなのか？」と怒ったように問い質される始末。しばらく庫内でねばっているうちに、数学関連のコーナーの数学の本の中からついに記述を見つけ、やっと奇跡的に再会することができました。

図 5-1　国会図書館のカウンター上部に彫られたギリシャ文字

このように、以前は見過ごしてしまったもので、その後、真価に気付いて気になって仕方なくなる、そんなことが何度か起こりました。逃がした魚は大きい。学者の方々に往復葉書でおたずねするということもしていました。以前から質問していた国語学者の見坊豪紀先生もそのおひとりです。若輩者の無躾な質問に、おいそがしいなか丁寧に答えて下さいました。先述の数字についてのものが、最後にいただいたお返事となりました。「それは見た覚えがありますが、いま入院中なので」というういつもよりも弱々しい線の直筆の短いお返事でした。いただいたお手紙は、今も大切にしまってあります。

さて、資料や先行研究はじっくり読みこむことが大切です。先人の研究はありがたいことですが、すべてを明らかにしてくれているとは限りません。何がどこまで解明されていて、自身はそこから何をしたら良いのか、敬意と懐疑の念をもって読み取ることが肝要なのです。

論文にある参考文献リストも大切な情報源でしたが、目録や「○○学論説資料」も各分野で整備され、今では情報化が進み、国立情報学研究所の「CiNii」という論文検索サイトなど便利なツールがインターネット上でもかなり整備されてきています。今はネットでさまざまな情報が手に入る、良い時代となりました。だれもが発信できるし、うまく使えばよき知り合いができる。情報交換し、切磋琢磨できます。でも、あらゆるデータが検索できるわけではありませんし、種々の資料が手軽に得られるのと引き替えに色々な危うさもあるのです。

サークル活動で学んだこと

うす暗い地下にあった中国についての研究サークルでは、くり返される議論や高田馬場での飲み会から、多くのことを学ぶことができました。「大学で漢字を専門にしたい」と話すと「専門を決めるのはまだ早いのでは」という先輩がいて、「いつになったらやりたいことができるんだ」と感情的に反論してしまったこともあります。この先輩は、視野がせまくなることを心配してくれたのかもしれません。たしかに私は、漢字に没入(ぼつにゅう)すると漢字で表される世界だけに閉じこもってしまうきらいがありました。

　サークルの先輩には「お前の「知」は病垂(やまいだれ)のついた「痴(ち)」やろ」と言われ、うまいことを言うなと思いつつもムッとしたものです。ベニヤ板で仕切られて雨水が流れこむ一号館の地下とその後の高田馬場界隈(かいわい)で、議論の大切さと楽しさ、そして危うさ、もろさを身をもって学びました。当時の学生は今よりもずけずけと言い合ったと、多くの人が語ります。

　サークルの同級生とは、道教の文献や仏教のお経のコピーなどをもって一緒にたがいの家で読書会を何度かしました。彼は漢文をよく読めました。家の『大漢和辞典』が読解に一役買いました。このように、大学生活も初めのうちは自由で舞い上がっていましたが、それには孤独(こどく)もとなり合わせでした。同じことに興味を持つ学生には出会えません。次第に大学も、話すことのできない、楽しそうな他人がたくさんいる、という場所になっていきます。この頃はまだ「ぼっち」という単語もありませんでした。

大学二年生に

一九八五年、二年生に進級すると、漢字を研究するのだからと、その中心である中国文学（中文）に迷うことなく進学しました。中文で教鞭（きょうべん）をとっていらして、前年からお世話になっていた先生が発刊された中国語学の専門誌『開篇（カイピエン）』の創刊号に、学部生でありながら、それまでにいろいろな文献から集めてきた、六書説（りくしょせつ）では説明の付かない漢字についてまとめて考察を加えた「漢字系文字における六書以外の構字法について」という小文を掲載（けいさい）していただきました。二十歳（はたち）の頃の手書きのデビュー作です。

前年度の朝鮮語に続いて、今度は語学教育研究所で開講されているベトナム語を習い始めました。タイプライターの字に発音や声調を示す記号を先生が書き加えたプリントには、「私は軍人です」といった時代を感じさせる例文がローマ字（クオックグウ）で示されていました。「博士」はバクシイと読んで、医者のこと、博士のことは科挙（かきょ）の用語で「進士（ティエンシイ）」と呼ぶと習ったとき、なるほどdoctorか、と思ったものです。

ベトナム語に入った中国系の単語である漢越語（かんえつご）についても教えてくださりました。さらに、漢字を勉強していると話したら、先生がお持ちだった、当時他にないとされたチュノム（ベトナム語を表するため、漢字を応用して作られた文字）の本と辞典もお借りすることができました。最後には、残った学生が私だけとなったため、マンツーマンの講義になりました。

今につながる外国語の勉強

二十歳になってすぐに、高校の時の旧友と一緒に韓国旅行に出かけました。はじめての海外旅行です。ところが現地では、しょっぱなから「空室」をそのまま朝鮮漢字音で「コンシル」と言ってみても通じず、いきなり無力感にさいなまれました。

外国語は日常会話よりも論文や辞書が読めるためのカギと割り切っていたために、実用の場面で役立つほどの力は身につきませんでした。もったいないことでしたが、向き不向きもあり、また通訳レベルになるとかえって比較対照がしにくくなる例をたくさん見てきたので、これはこれでいいかと思っています。これらの基礎はだんだん忘れていくものですが、いまでも研究、教育、実用のいろいろな場面で役立っていて、またそこに枝葉を加え続けていきます。語学は、必要にせまられる前に、頭がやわらかい若いうちに、興味と関心のおもむくままに、どんどんやっていくことをお勧めします。

中国の漢字

さて、私は中国文学を専攻し、中国の古代から現代まで、漢字や言語だけでなく歴史や文学なども学びました。独学で覚えた漢字の発音が違っていることに気付いたり、知識の断片が学問の体系の中に位置を得て収められていったり、新たな概念を用語とともに自分のものとしたりすることのできる、充実した日々でした。とくに漢字などの発音に関する音韻学は体系立っていて規則性があり、目から鱗が落ちる思いでした。

研究室では、先生がベトナム語、フランス語やロシア語の論文まで読んで訳して下さいました。スラスラと、しかしきちんと訳されるので、自分でもできるのではと錯覚したくらいです。広東語や上海語、韓国語の学習会も何度か開いて下さいました。ずうずうしかった私は、いそがしい先生に勝手な質問もずいぶんしました。

そうして中国を中心に漢字を学んでいったわけです。また、『詩経』や『楚辞』、『史記』や唐詩、宋詞、考証学などは音読古典学で、訓読と併せて学びました。通俗小説や現代小説についても教わりました。しかし近現代のことをふくめて、中国のことを簡体字、ときに繁体字（簡略化していない、画数の多い漢字）で学べば学ぶほど、現実の中国の日常の状況も知り、中国が縁遠く感じられるようになりました。音韻論は、緻密だが理論的な面が強いこと、自分にはどこか閉鎖性を感じさせるものだとさとりました。

なお、実例を元に傾向や原理まで十分に検討していくと、理論まで導き出せることがあります。しかしこれも曲者で、下手な理論は多様な現実に対する自由な思考をしばってしまうことがあるのです。学問にとって、過信や思考停止ほど怖いものはありません。思いこみや偏見は、真実を遠ざける危険性を持っているのです。特定の理念に凝り固まると、多面体をなす漢字は、その全体像がおおいかくされて見えなくなります。私は漢字に対応するには柔軟な姿勢こそ最適と考えるに至ったので、今でも実践しています。

また、論理と感情は人間が前に進むうえで両輪を成しているものなので、両方に目配りし、いずれも観察と考察の対象にすえて客体化しなければ、十全な検討結果は得られません。漢字といえども、心と体を持った人間が作り使うことによって変わってきたのですから、天衣無縫な神の創造物やロボット・機械のようなものとして、構造を分析するだけでは真実にはせまれません。

当時私は、女子大学生たちの丸文字に関する調査も行っていました。サークルにいた日本女子大学の学生からも手紙を借りたりして、「丸文字について」という研究をまとめていました。しかし、それを恩師に読んでいただくと、「だから」がないと指摘されました。そして、社会言語学という分野があることも教えていただきました。私は、世界史の教科書のような平面的で客観的な描写を旨としていたのですが、論理というものの重要性を感じ始めました。

明晰で無理のない行論は聞いていても読んでいてもすっきりするものですが、ときに理屈っぽい文章に根拠のはっきりしない恣意的な話の運び、飛躍や矛盾も感じるものです。そこで私はまず論よりは証拠を重んじ、声を大きくもせず、事実を集めて整理して、そこにいたった道筋を明らかにするために、無理のない論理的な記述をしようと考えるようになっていきました。直観的にうかぶ「なぜ」の謎を解き、また他者に説くためには、実例の丁寧な整理と説明に際しての実証と論理性は不可欠なのです。

国語学の洗礼

国語学（のちに名称が日本語学へと変わっていきます）では、江戸時代の国学者、僧の契沖が古い本を調査して歴史的仮名遣いを（再）発見し、当時の仮名遣いの位置を明らかにした功績などに実証主義の力を感じ、ひかれていきました。

国語学概論を担当されていた先生にすすめられ、また、教職課程を一年遅れで履修し始めたために、国語学の講義をいくつも取る必要が出てきました。その先生の講義では、集団語（位相語）や音韻を教わりました。「図書館」を略して「[囗+ト]」とすることには集団語のようなものとして寛大でしたが、「撥音」を「[扌+発]音」と書く国語学者がいると指摘され、これは漢字ではないと厳しく非難されるのが腑に落ちず、不思議でした。規範意識にはどういう根拠があるのだろうと考える機会になりました。

先生のご専門のアクセントや母音の無声化など、教わるたびに楽しくワクワクして、日本語話者として自分の言葉を客観的にふり返る内省という作業の喜びと、その記述や法則性の説明の楽しさを教えていただきました。疑問に感じた「フ」の子音の濁音の音声について質問に行くと、研究室に導かれ、資料を示しながら丁寧に教えてくださり、そのうえ『源氏物語』の復元音による朗読のテープなどの資料も惜しみなく貸してくださいました。

厳しい面もお持ちの先生で、言い訳めいたことがあっても聞いてもらえないこともあり、思わず小声で「先生は怖いです」と申し上げると、「先生が怖くなくてどうするの」と諭されたこともあります。

この頃だったか、区内のうす暗い本屋か古本屋で「[男+男]よ！」と表紙に書かれた雑誌か写真集が目に入りました。ふんどしをしめた男性が写っていたような覚えもあります。この字が気になって手に取って見ていたら、店主に「こういうの、興味がありますか?」とたずねられ、あわてて置いて、逃げるように帰りました。こういう方面にも未知のさまざまな字がありそうだと感じました。

めずらしい姓名(せいめい)についても興味があったので、それまでの見聞を集めてサークルで発表しました。戦前の本『姓名の研究』を国立国会図書館で閲覧(えつらん)しては、こうした姓名の実在を確認するのは難しいと感じていました。

コラム

めずらしい姓名

戦前の本や新聞、雑誌には、「一二三(ひふみ) 四五六(よごろく)」「小豆畑(あずきばた) 豆之助(まめのすけ)」のようなめずらしい名字や名前が時々取り上げられています。なかでも、幕末に小浜(おばま)藩(はん)にいた藩士の「上沼田(かみぬまた)下沼(しもぬま)田沼田(たぬまた) 又一又右衛門(またいちまたえもん)」は強烈(きょうれつ)に印象に残りました。

その後、地元の福井の方々にご協力いただき、当時の資料を確認してみたところ、もっと短い姓名だったものが誤って伝えられてしまったものだったことがわかりました。

私は子供のころから家にある新聞をよく読んでいたのですが、大学生になって、記事で漢字文化研究会という小さな会があることを知り、大学二年生になってすぐに入会しました。会報が送られてくるくらいで、皆で集まってということは少なかったのですが、そこで年上の会員の男性が、その会報の誌面で同好の士を募集していました。思わぬ人との邂逅があるものです。その方とは、時には夜まで飲みながら、漢字に関して汲めども尽きぬ情報交換を続けました。

その方は漢字について非常に真摯に学ばれている校正者で、漢字や国字の魅力的な事実をいくつも教えてくださいました。安藤昌益の『私制字書』や、当時あまり知られていなかった『法華三大部難字記』なども教わったものです。元々国字などに関心があったのですが、こうした出会いも重なって、次第に中国から日本へと私の関心の焦点がシフトしていったのです。

6 俿(ほとけ)

——俗字や国字は、何かしっくりくる

大学三年生に

さて、これまで述べてきたように、私は子供の頃から国字に関する細々とした情報を集めていたのですが、ノートでは余白に細かい字を書き足していくことに限界が見え始めました。そこで、『三省堂国語辞典』を膨大(ぼうだい)な用例カードから作り上げられた見坊先生に倣(なら)って、一九八七年二月に「日本国字集」と題して、情報を罫線(けいせん)入りのトランプほどの大きさのカードに取り始めました。

そして、さまざまな情報や人物にふれる中で、「権威(けんい)ある」とされるものに対してもだん

だんと懐疑的になっていきました。たとえば、名字の辞典に立派な活字で印刷されていた八四画の名字とされる漢字（図6–1、たいと・だいと・おとど）にも怪しさが感じられるようになっていました（証明はだいぶ後になりました）。

雲
雲龍雲
龍龍

図6–1

私は初め、漢字を研究するからには、その本場である中国を中心にすえて、漢字圏の漢字をあまねく把握したいと思っていました。その一方で、漢字研究の中でも盛んだった字源研究には何か解せないものをずっと感じていました。それは、根拠の不明確さです。研究者によって示された字源も、客観的に見れば根拠となり得ないものによっていたり、精密さが見られないものであったりして、研究者の間でまったく異なる結論が示されていたからです。

中心を外す

そのころ多くの大学の国文学（日本文学）科の主流は日本文学の研究で、国語学を研究する人は少数派、研究の対象・方法も異質でした。さらにその国語学も、文法、音韻、語彙、方言などの研究が本流で、文字・表記は研究者が少ないことで知られていました。

この頃から、私の「中心を外す人生」、世の中の主流に身を置かず、周辺的、例外的に見える個別の現象に着目する人生が始まっていきます。ただ、中心からずれていても、本質をぶれさせてはいけません。芯がないと柔軟にもなれないのです。よく「人のやらないことをやれ」と言いますが、私はたまたま、そうなっていきました。単に「おもしろそう、意義がありそう」、でも「答えがなさそう」と感じることに目が向かったからかもしれません。

言語より文字、日文より中文（結局日文に戻りましたが）、文学より国語学、文学部より社会科学部、仮名・ローマ字より漢字、漢字より国字、音韻より表記、音読みより訓読み、「正しい表記」より「当て字」、和語への当て字より外来語への当て字……など、関心の向かう先には、結果としていつも仲間やライバルどころか、先人もまれな世界が広がっていました。

それでも、部分的にでも関連する先行研究は、色々なものを読んでいくとたいてい見つかるものでした。先達とは、ありがたいものです。それらを学ぶことで、まだ研究対象としては手がつけられていない未開の沃野があちらこちらに広がっていることを予感できました。

私は研究室で、中国語学の勉強会に加えて頂きました。そこには、文法、方言などを専攻している先輩たちがいました。難しい大学院入試を突破した先輩たちは、かがやいて見えました。彼らを指導する先生ともなると、後光が射すほどに感じられました。

しかし、びっくりしたのは、方言の文法や音韻を専攻されている先輩が「漢字はどう研究したらよいのか見当がつかない」と話されていたことです。たしかに一般的な言語学においては、文字研究は対象から外されがちでした。漢字研究の「対象を観察して用例を採集する」という段階が、他の領域を研究している人から見ると趣味や自己満足のように映ってしまうことに、この先輩の言葉などから気が付きました。研究は対象をしっかりととらえることが肝腎ですが、漢字は情報量が多いこともあって客体化が難しいものと言えそうです。

そのため私は、漢字の研究にも、先人たちによって体系性がすでにしっかりと構築されていた語彙論や音韻論、音声学、方言学などの方法論を適用し始めました。ことに、社会集団や場面によって使う単語などが変わることを指す「位相」は、私の研究のキーになりました。この「位相」は、分野によってさまざまな概念規定や慣用のある術語ですが、日本語学では戦前から使われたものでした。

大学四年、中文から日文へ

中国語学の恩師には申し訳なく思いながらも、国語学に進学したいという心境を打ち明けると、同じフロアの日本文学科の研究室へと案内してくださいました。

そのころ私は、日本の言語史研究者で早稲田大学の教授の本でふれられていた「佛(仏)」の異体字「𠑊」がおもしろくなって、実例を集めていました。民俗学者の丹羽基二の本と、質問ハガキに対する丹羽氏の返信から、青森に「⿰亻⿱雨国沢（⿰亻⿱雨国は⿰亻⿱雨國の略字）」という地名もあると知りました。また、中国の明清(みんしん)時代や日本の江戸時代の辞書での記述なども集めました。やはり私には、中国よりも日本のことがしっくりきたのです。この不思議な字に関する調査は、「〈佛〉の一異体字(いたいじ)〈⿰亻⿱雨國〉について」としてまとめました（中文の雑誌『開篇』に掲載(けいさい)してもらえました）。

調査を続けてある段階までいくと、用例が目に飛びこんでくるようになるものです。図書館で江戸時代に出版された国語辞書『節用集(せつようしゅう)』にも何かありそうだ、と当たりを付けてカウンターで請求(せいきゅう)すれば、運ばれてきた本にちゃんと出ている。そういうことが続いて疲れたので、学内の生協の書店に入って、書棚から「漢字と全然関係のなさそうな分野の本を」と農業の本を開くと、そこにもその字が載(の)っている、ということもありました。用例を呼ぶアンテナができたように思えたものです。

そしてこの「ほとけ」の原稿が縁となり、国語学の先生に紹介して頂けたのです。研究室にうかがうと、奥からハーイという声がしました。奥に座る眼鏡の先生が光って見えました。漢字の入門書（実際には応用まで）や異体字を研究した資料を集成した本などの活字でしか存じ上げない、あこがれの教授でした。「歯(は)に衣着(きぬき)せぬ何でも知っている文学博士」という印象をいだいていました。

先生は「漢字なんてやるのか、ほんとにバカだなあ」とあきれておっしゃりながらも、微笑(ほほえ)まれていました。こうして私は大学院は日文に進む決意を固めたのです。

ところでこの頃、私は当時の人気女優・夏目雅子(なつめまさこ)の美しさにうっとりしていました。ところが一九八四年に彼女が作家の伊集院静(いじゅういんしずか)と結婚すると聞き、さらに「伊集院が飲みながら万年筆で紙に「薔薇(ばら)」と書くのを見て好きになった」といううわさ話を雑誌か何かで読んで、たいそう悔(くや)しく思ったものです。そんな字なら私だって書ける、ただ、そういう場面がなかっただけなのだ、と(ただ、伊集院さんご本人はこの話を否定しており、「薔薇」と漢字で書けないとおっしゃっていますので、イメージから作り上げられた妄想(もうそう)だったのでしょう)。

ひたすら資料を読む日々

さて、こうして日文の研究室に移ったわけですが、私が難字や奇字(きじ)についてなおも中文の先生にあれこれとうかがうと、先生は「それをなんのために知りたいんですか?」とおっしゃいました。難字や奇字も漢字の可能性や文字意識をうかがう素材となるために追究を要しますが、私には好奇心からそればかり知りたいという面があったため、研究としての位置付けをおろそかにしていたことを指摘(してき)されたのでしょう。

先生のおかげで好奇心だけで終わらず、全体の中でそれがどうあるのか、どのようになれば一般的な字に変わっていくのかを考える方向に向かえたことは幸いでした。そういう変わった字だけを調べる研究も今では中国で盛んになってきましたが、やはり一般に必要とされる字についても、バランスよくきちんと研究した方がよいと思っています。

その一方で、自分の研究テーマとは関係なさそうなことをたくさんやっていると、思わぬところからアイデアが得られることもありました。何が役立つかと考えるだけでなく、好き嫌いせず何にでも関心をもつようにするのがよいのだと思います。実際に、当時は役に立つなどと想像さえしなかったことが、いまあれこれと役立っていますし、反対に「もっとあれをやっておけばよかった」と後悔(こうかい)することもあるのです。

さて、私の卒業論文のテーマは『異体字研究資料集成』の各巻にはさまれた月報(げっぽう)という小冊子に書かれていた一編の文章に導かれました。「閂(さん)」「閄(かく)」「奀(おん)」「奀(たい)」といった二〇字弱の、宋時代(そうじだい)に華南(かなん)で使われていたという記録が数点残っている俗字(ぞくじ)の正体を知るために、広東語(カントンご)の方言文字、広西(カンシー)あたりの少数民族チワン族のチワン文字、ベトナムの字喃(チュノム)を比較(ひかく)して、日中の古い仏典や辞書、書物などを利用して追いかけたのです。

「閄」は、今ではネット上で長い訓の字と話題になりますが、江戸時代には人を驚(おどろ)かす語という意味を活かして「ももんぐわ」と読まれ、戯作(げさく)の題名に利用されるなど、独自の展開を呈(てい)していました。こうしたことで歴史が身近に感じられますが、私たちもすぐさま過去の歴史の一部となっていくのです。

一つ何かを調べると、おもしろい例が次々と目に飛びこんできて、副産物が得られました。当時は東京大学の図書館など、あちこちに版本(はんぽん)(昔に出版された本の実物)を求めて通ったものです。今ではネット上でそうした版本なども容易に閲覧(えつらん)できる時代になりました。それでも、紙と墨(すみ)(インク)の状態などをたしかめる検証作業まで必要なことがあるので、実物を見る経験もするとよいと思います。図書館をかけまわるうちに目録にない資料と偶然出会うことも、まだあるはずです。昨今の図書館ばなれは、インターネットの普及(ふきゅう)と発展の裏返しですが、図書館でしか出会えない情報はたくさん残されています。

この頃は、いくつかの字について調べごとをしながらいろいろな文章を書いていました。論文は人によって書き方の形式が違うので、見よう見まねで自分が最もよいと思う形式を模索していました。先行研究の論文に引かれた文献の注や末尾に記された参考文献リストを見れば、たいてい芋(いも)づる式にそのテーマに関する先人の言及が見つかります。調べても調べてもきりがない先人たちの知の世界を泥沼(どろぬま)のようにさえ感じ、来る日も来る日も現れる資料に

「早く終わらせてのんびりしたい」と苦しみもがきました。先人たちの蓄積の大きさ、自分の小ささ。知ることの喜びよりも、疲労感が大きい毎日となっていきました。それでも、だれもやっていないことができそうだという可能性も感じていました。

　大学の図書館には「ここにあるおもしろい文字は全部引っぱり出してやる」という無謀な気持ちをもって通い続けました。当時はアナログ式の検索方法しかなく、冊子の目録か所蔵図書の情報が書かれたカードで書名や著者名を繰って、短冊のような請求票の用紙にそれらを書き、係の人に閉架式の書庫から目当ての資料を出してもらっていました。一度に請求できる資料の数が限られていたので、朝から血相を変えて短冊をわたしつづける私に、「がんばってください」とはげましてくれる係の女性もいました。

　そうした作業をなんとか中断させて、遅めの食事をとりに学生街の食堂によく行きました。夜は、本をかかえて歩き回ったために棒のようになった脚で駅前の韓国料理屋に寄って、一杯のビールに幸せを感じました。とくに調べごとやコピー取りを納得いくまでやれて一段落付いたときは格別でした。

　それらの古いけれどこぎれいな店も、店の人たちが高齢になって今ではほとんど閉めてしまいました。よく行っていた洋食店の最後の日には、教え子たちを連れて行きました。外に出ると、空がにじんで見えたものです。

不安とたたかった大学院への進学

さて、中国語学は学ぶほどに「知らない世界にはそういうこともあるんだろうな」と実感がうすくなっていくのに対して、教職の必要からあれこれと取り始めた国語学(日本語学)は学ぶほどに「たしかにそう発音している、単語をそう使っているなあ」と内省ができ、わが身にせまってきました。そのためもあって分野を変えて大学院へ進むことを希望したわけですが、安定志向が強かった私には狭き門のように感じられ、強いプレッシャーとなっていきました。そして、閉所恐怖症や不安神経症、強迫性障害のような、心臓が止まりそうに苦しくなる症状に苦しめられだしました。

「何かをしなければならない」「失敗は許されない」などと自分を強く追いつめてしまったことが原因です。また、不安をあれこれ予測すると、かえって心身ともに苦境に追いこんでしまうという悪循環があることを、本や近所の医師などから学びました。こうして、苦しみながらも原因を解消するために自然や芸術にふれるなど気分転換しつつ勉強を続けることで、緊張しすぎず、自分らしくありのままでいて良いんだと、だんだんと楽になっていきました。

大学院にはそういう苦労をして試験に合格し、国語学へと進みましたが、推薦でスッと入ってしまうよりも不調と苦労を経験して入ったことが、結果的にはよかったと思っています。

こうして大学院は、文学研究科の日本文学専修に進むことができました。教授やその教え子の院生の先輩の方々が研究の方向にとても寛大な理解を示して下さったおかげです。他の分野から来ようとする学生を受け入れる姿勢は、自身が院生を迎える立場となった今、忘れず受け継ぐように心がけています。

コラム

柳田国男の周圏論

こうしてたくさんの文献を読み進めるうちに、民俗学を構築した柳田国男を尊敬するようになりました。古い文献と実地に関する調査は、いずれもロマンを感じさせ、筆致をふくめて別格に感じました。柳田は著作『蝸牛考』で「昔の京都が新語の発信源であり、東北や九州など、京都から遠ざかるほど古い単語が残る」と主張し、「方言周圏論」という素朴ながら時間と空間とをつなぐダイナミックな考え方を世に問いました。

私も一九八七年に、漢字文化圏を舞台に「方言周圏論」を則天文字（西暦七〇〇年前後に中国の女帝である則天武后が作らせた異体字）に当てはめようとスケールの大きなことを夢見て、当時見られる資料と集め得たわずかな実例に基づいて『開篇』に文章を書いていました。この向こう見ずな野心作が「則天文字の周圏論的性質について」（一九八七年一一月）です。これは当時、使用の痕跡を集められるだけ集めて簡単な地図にしてみたところ、則天武后が造った「圀」（国の異体字）などが没後の勅令（皇帝の発する命令）の影響を受けた中国の中心部で使われなくなる一方、周辺の国や地域では使用され続けたという実態を説いてみた若書きの小文です。

7 腺(せん)、𪊲(ぼく)の追跡
——個人文字の広がり

初めてのワープロ

私の父は若い頃は子煩悩(こぼんのう)で、よく家で射的やベーゴマなどを教えてくれて、夢中になって対戦しました。天文は生涯(しょうがい)の趣味で、大きな反射望遠鏡で木星を観測しては絵に描いたり、模型に赤や黒の塗料(とりょう)で着色したりしていました。

その父が、一九八八年の春、大学院の修士課程への進学祝いにと、当時安くなってきたワープロ専用機を買ってくれました。伊豆高原の山中から伊東市内まで出て購入し、父が経営するペンションの家族の部屋に持ち帰りました。早速、ローマ字を打っては漢字に変換(へんかん)してみました。筆記媒体は、手書きから電磁気を介した入力へと主力が移る時期でした。
この頃、指導教授から、漢字学と文字論のどちらをやりたいのかとたずねられました。私は、伝統的な漢字学をふまえながら、国語学で盛んになり始めていた文字・表記研究、さらに言語学の本に断片的ながら記述されていた文字論を統合した研究がしたくなっていました。そうしたことに関して先生方が知っていることがらを自分が知らないと悔しくなって、著作や論文を読むことにはげみました。

漢字は、「鰻」のように中国人がつくったもの、「鰯」のように日本人がつくった国字と、出自で区別できます。「鮎」は中国ではナマズでしたが、日本ではアユとして使う、というように日本人が意味を変えたものは国訓と呼ばれます。「鯰」のように中国でできたものが日本に残った可能性のある字や、どこでできた字なのかまだわからない字、「鱈」のように日本製なのに中国でも使われるようになった字などもあります。私は、こういう漢字が日本化する現象に一番惹かれるようになって、よき知人との出会いもあり、もっと知りたいと願って調べつづける内についに専門とするようになりました。

調べれば調べただけ文献は応えてくれます。事実はたいていおもしろく、先にふれた「粁（キロメートル）」のほか、「糎（センチメートル）」「瓩（キログラム）」といった単位を表す国字は、図書館にこもって調べていったところ、明治時代に中央気象台が四年間も会議を重ねて省スペースのために作り上げた字だったことをつきとめました。

こういう発生までがわかることはまれですが、そこからさらになぜ、どのように広まっていったのか、あるいはすたれていったのかということを追いかけていくのです。まだだれもくわしくは追っていなかった、ほとんど未開の沃野が広がっていたので、調べたところまでが答えとなる、やりごたえのある分野でした。

昭和の終わり

昭和天皇の大喪の礼を経て、時の小渕官房長官が新しい年号の書かれたボードを掲げたのは、一九八九年一月のことです。「平成」と端整な筆で書かれた字をテレビで見て、耳慣れないこの元号は定着するかな、と思いながら、修士論文を書いていきました。

国語学は、歌学、国学、蘭学などの流れも受け継ぐ伝統あるかっちりとした研究分野で、研究者の数も多いようでした。私は中文から来た人ということで、「横すべり」とも言われました。そこで、演習の研究発表では、自分が得意なテーマへと内容に無理のない範囲で引き寄せて資料を作りこみ、準備をしっかりして話すように心がけました。

国立国語研究所から移って来られた先生の主催(しゅさい)される漢字漢語研究会でも「〆(しめ)」という表記について、その発生源が複数あって、用法もかなり枝分かれしていることを、集めていた情報カードに基づき発表しました。演習の発表では的外れになってしまったこともありましたが、次回には挽回(ばんかい)するように一層努力しました。へこたれずに立ち直って、転んでもただでは起きないようにしたのです。失敗したあとの対応でその人への評価は確定しますので、失敗しても逆に信頼を得られるように努めることが大切なのです。

また、発表者に質問するときには、正確さやするどさばかりを目指していましたが、もっと思いやりを持てればよかった、と、教育にたずさわったりさまざまな人と接したりするようになった今は、反省するばかりです。

修士論文を提出

三千ページを超えた修士論文には「国字の史的研究」という、大学院の恩師の大著に倣(なら)った大それた題名を付けたのですが、先生もそれをにこやかに受け入れて下さいました。奈良時代以前から現代に至るまでの間に、日本製漢字の類がどのように現れ、使用され、消えていったのかをできる限り追いかけて記述したものです。

どういうものがなぜ作られ使われたのかという歴史だけでなく、それらがどう意識されてきたのかという意識史、どのように研究されてきたのかという研究史もあわせて記述してみました。父に買ってもらったワープロをフル稼働(かどう)させて本とコピーとカードとノートのデータを整理し、それを基に手書きで少しずつ書き上げていきました。

このころはよく根気が続いたものです。何時間でも紙面と画面を見ていられました。この時に一通りおもな文献と先行研究をおさえられたことは、後の研究のベースとなりました。論文は選考を通過し、口頭試問と試験を経て、博士後期課程に進学することができました。

修士課程（博士前期課程と呼ぶところもあります）は通常は二年間、博士後期課程は三年間で修了できます。私は、早く次へ、と必死に調査と研究を続けて、最短の五年間で終えることができました。ただ、博士（学位請求）論文の提出は、自身の研究がとてもそういう段階にまでおよんでいるとは思えず、博士論文を提出しないで博士課程を終える、いわゆる単位取得満期退学という当時の文学研究科の常道を歩みました。

学会デビュー

博士後期課程（ドクターコース）の試験の合格通知を受け取ったころから、リラックスする方法が身についていきました。精神的プレッシャーからくる身体症状が改善していったのです。また、歴史上の偉人や有名人にも同じような強迫観念による症状に悩み苦しむ人たちがたくさんいたことを知ります。精神的に追いつめられた人たちに優しく接することができるようにもなりました。

苦境を乗り越え、良い意味で力を抜き、ありのままでいる。夏目漱石の言葉「則天去私」というと私には大げさすぎますが、この後は悪い緊張や恐怖感がなくなっていき、大勢の前で話す際には聴衆の反応を落ち着いてたしかめながら、のびのびとしゃべれるようになりました。

当時、好き嫌いをしないようにと、文字の書かれた資料はえり好みせずに読むようにしていました。古文を読む力は異世界の扉を開く鍵で、それさえ持っていれば、古人に教わることがたくさんあります。中でも、江戸時代の随筆はずいぶん読みました。今の目から見るとおかしな古くさいことから、今見ても斬新なことまで書かれていて、図書館でコピーを取っては必要な部分をワープロに打ちこんで、時代順に並べ替えていました。

先人には超人的な人もいますが、文字からやはり同じ人間なんだと実感したものでした。案外、人間のいとなみや感性はそう進化していないのではと感じます。こうしたものは研究に使うこともあまりないのですが、自分の歴史観のようなものをつむぐ素材となっています。活字本にはずいぶんお世話になりました。しかし、結局は、その元になった版本でたしかめたり、国会図書館や慶應義塾大学の斯道文庫などに行って、著者本人が直にふれて文字を認めた和紙と墨跡に感慨深いものを感じながら、複写申請や筆写をしたりしたものでした。

大学図書館では夜まで調べごとをしてコピーを取っていると、閉館を知らせる音楽が流れ始めます。だんだんと音が大きくなってくる。そして閉館の放送が入ります。ついに係の人が電源を落としに来ます。「ハイ」と言いつつも今日じゅうに終わらせたくて、走って逃げたこともありました。

こうして、修士論文の中から国字の分類と一番典型的な国字の展開についての記述を抜き出して、調べを補いまとめて「国字と位相」という大きすぎるタイトルで、学内の早稲田国語学会の研究発表会、続けて全国の国語学会（いまの日本語学会）の大会で発表をしました。一九九〇年のことです。

先生からは、「論文ではテーマはできるだけ小さく設定するもの」とご指導をいただき、たしかに手堅く学会誌への掲載をねらったほうがよかったのですが、国字や文字の大枠と歴史的な展開の典型的な実例を示したいと思いました。そうしないと説得力が得られないのではと考えてしまったのです。この枠組みや見通しが大風呂敷だったとならないように、このあと、みずから提示した概念を、さらに堅実にくわしく一つずつうめていくことにしました。

学会では緊張のあまり、質疑応答で質問者のお名前を早合点して失礼な失敗をしてしまいましたが、終了後に「笹原さんにしかできない研究」と言って下さっていた先輩に「ご愛嬌！」となぐさめていただき救われました。また、質問して下さった先生は、その失敗のおかげもあってか親しくお話し下さり、様々なことを教えていただいています。

学会誌への投稿

一般的な国字については、これがこの学会での最初の口頭発表だったと思われます。その後、投稿の勧誘をいただき、配布した予稿をもとに会場での質疑応答などもふまえて研究論文としてまとめ直し、学会誌の『国語学』（現在では日本語学会『日本語の研究』）に投稿しました。

学会誌には、査読という厳格な審査制度が設けられています。その分野にくわしい研究者たちが客観的に審査をし（ピアレビューと呼びます）、採用される論文は投稿数の半数に満たないこともあります。幸いにも編集委員の方々から非常に勉強になる修正意見をいただき、それをもとに記述を加えることで、広く日本語に関する権威ある唯一の全国レベルの学会誌に掲載されました。国語学会の『国語学』一九九〇年第一六三号です。

論文の査読者には、評価のほか教育的な配慮をして下さる方がたくさんいます。氏名は概してその時点では明かされないのですが、論文の採用が決まっても、より論旨が明確になるように、表現が適切になるように、また査読者自身が知っている事実を証拠として加えるように、などアドバイスがもらえることもあります。私的な感情など抜きにした、学識と、学界の発展を願う学問的な良心によるものです。

私はいまも論文を書き続けていますが、最近は中国や韓国、欧米などの書籍や雑誌に投稿して査読を受ける機会が多くなっています。査読を担当することも増え、その論文が雑誌に掲載できる水準かどうかの判断だけでなく、かつて自分もそうして助けてもらったように、論の運びや表現だけでなく内容に補える点があれば加えてもらい、より質が向上するようにと努めています。

国字「腺」「濹」の追跡

この論文「国字と位相」で明らかにできたことは、これまであまり研究されてこなかった国字には、使用者によって個人文字、地域文字、位相文字、一般の文字という枠組みによる区別がありうるということでした。位相文字については、さまざまな文献や伝聞などからあらかたのことがわかってきたので、よりくわしい情報がほしいと思えば、その学界や業界の専門書を買ったり、刀剣博物館などの施設におもむいたり、自衛隊などの組織や企業に照会状を書いたり、先輩のつてをたよりに警察官にアンケートをしたりして詳細（しょうさい）な情報を得るように努めました。それぞれのディープな世界で、漢字は独自に進化していたのです。

そして、それらのラベルは、一つの国字であっても、時代とともに激しく変化しうることの実証を試みました。たとえば「腺」という字は、江戸時代後期の蘭方医（らんぽうい）・宇田川榛斎（うだがわしんさい）が一八〇〇年頃に作って一人で使っていた文字でした。このことは先人が明らかにしていたので、そこからだんだんと他の蘭方医、明治以降は全国の医師たちの使う字となり、さらに広まって一般の人たちも使うようになった、という通時的な動態を解明し、社会、文化的な背景とともに語の変遷（へんせん）を記述する語彙（ごい）分野の「語誌」にならって設けた「字誌」という自作の形式で記述したのがこの論文でした。

一つの用例は点に過ぎませんが、二つあれば線が引けます。三つになれば面が素描（そびょう）できます。立体をつくるにはもっと用例が必要ですし、集めた用例が現実の使用状況に近づくように増えれば増えるほど歴史を正確に描けるようになっていきます。そのため、しかつめらしく辞典に一行で収まっているような漢字や国字から、あらゆる可能性を見出そうと努めました。

膵臓（すいぞう）の「膵」も、一般化まではしませんでしたが、それに準じるものと位置づけました。後年、小説や映画のタイトルに使われるとは予想だにできませんでした。また、江戸の漢学者が隅田川（すみだがわ）を表すためだけにつくり上げた「澀」も、個人文字から地域文字、位相文字にまでなったと位置づけてみました。従来、国字と一まとめにされていたものを使用者や理解者の面（広がり）や社会的な層によって分類して、それに具体的な字の歴史をあてはめて、その変遷を押さえようとしたのです。

この時点で、もうここまでならばおもな文献と用例により展開は押さえたと言えるまでの文章を作っておけば、次にそれを研究する人は、その中身と質をたしかめ、それを土台に次のステップに進むことができ、そこから学問が発展し、辞書も教科書もまた正確な記述が可能となるのです。このように、字誌の編述は、一つの資料に現れた字彙（じい）（文字の集合）全体の体系的な把握と併せて、重要であるとともに厳しい作業をともなう仕事です。

原稿は、父が買ってくれたワープロで書き上げました。挿入（そうにゅう）や訂正（ていせい）も容易にできてありがたかったのですが、原稿の性格上、いかんせん難字や外字が多く、入力や印刷に人一倍気遣（きづか）いとエネルギーが必要で、さらに場合によっては字の細かな一点一画、濁点（だくてん）の有無など、この分野の研究は気苦労が絶えませんでした。研究の性質上、誤植は信頼を落とすのです。

視野の広げ方

その年は、菅原義三氏が編んだ『国字の字典』、エッコ・オバタ・ライマン氏が著した『日本人の作った漢字　国字の諸問題』も世に出た年で、くしくも国字（日本製漢字の類）に対する研究が学会と一般社会とで日の目を見始めたときでした。江戸時代には漢字研究は盛んでしたが、明治以降、音声や文法を中心に据えた西洋の言語学を受け入れた国語学の世界では、仮名を除き文字そのものの研究は二の次とされたのです。言語の本質や構造を知る上で重要な切り分けですが、日本の言語を総合的に捕捉（ほそく）するためには手落ちが生じたと言えます。

字誌と並行して、各時代の字彙、資料ごとの字彙もおさえることが重要です。同じ執筆者でも年代や内容、読者層などによって使用する語や字、表記はある範囲で変動します。位相や変異とよばれるものです。不変の部分もあるわけですが、地域差、集団による差、さらには場面による差も見られます。こうして生まれた種々のレベルでの多様性の中から、のちにまた各々に適したものが選択されていくのです。

投稿や仕事などのお誘(さそ)いは、若いうちは受けられるものは受けて精一杯(せいいっぱい)対応する。それが良い結果につながりました。漢字研究は、守備範囲が決まっていて視野がせまくなる印象があるようです。私は、このように漢字を研究すると決めたからには、漢字に関するあらゆることを対象から外さないようにと決意しました。知性・論理と感性・感覚の産物である漢字をさらに広げて、私の理解しうる範囲で全角度から、日本語学と漢字研究を中心にすえつつ学際的に検討していき、その姿、性格、そして本質へとせまっていきたいという思いが強まっていきました。

8 岦（あけび）、腥（せい）
——幽霊文字、人名用漢字と向き合う

タイミングの大切さ

さて、いよいよ博士課程に進んだ私は、教職課程で教員免許をとるために教育実習に行こうとしました。ところが間の悪いことに制度が変わっていて、単位を相当取り直さなければいけなくなっていました。「いつでもいいや」と思っていると、機会を逸することがあります。漢字学で名高い藤堂明保（とうどうあきやす）教授と同じキャンパスにいながら、先生が急逝（きゅうせい）されて一度もお目にかかれなかったことも悔（く）やまれます。

タイミングと情報と、ときに瞬時（しゅんじ）にせまられる判断は、あらゆる選択に際して重要です。

チャンスは一度だけ、ということもあるのです(ただ、塞翁が馬のようにあとから考えると、それを逃してかえって良かったといえそうなこともあるものです)。

女子大学に就職

博士後期課程の三年目の一九九二年に、応募した日本学術振興会に特別研究員として採用され、初めて給料と研究費をもらえるようになりました。大学院に学籍を置きながら、買いたかった高額な書籍を購入して、研究がより効率的に正確に進められるようになったのです。専門書や大部の辞書、そして様々な一次資料を手元に置いて、書きこみまでできるのはありがたいことです。

そして大学の研究室で索引(さくいん)づくりの分担の仕事をしていたときに、たまたま先生が来られて、新宿にある私立の女子大学でアルバイトを探しているとお声がけ下さいました。緊張(きんちょう)しながらその女子大の門をくぐり面談を受けて、早速始めることになりました。

そこに通うコロンビア人、ペルー人、インドネシア人などの留学生に日本語の補習をするという役目でした。初めての女子大はとまどいの連続でしたが、慣れない日本語教育にはげみました。すると、今度の新学期に非常勤講師にならないかとの打診(だしん)をいただきました。大学で講義をするために、具体的な資格はじつは必要ありません。生活上助かることはもちろん、経験が積め、教歴も付くので、ありがたくお受けしました。

一年近く自分なりに専門を交えながら授業に苦戦しつつも努力していると、今度は次の四月に専任講師にならないか、というお薦めをいただきました。専任ですから、普通に働いていれば一般的に定年まで勤められます。つまり研究者としての独り立ちを意味します。ちょうど博士後期課程も満期を迎えるので、ありがたくお引き受けしました。

こうして東京出身の私が幸運にも地元で就職することができたのです。一九九三年四月のことでした。学んだ大学にそのまま就職するというルートはほぼなくなった時代で、外に出て修業のような経験を積むことが求められるようになっていました。棚からぼた餅のように見えますが、まじめに働いてきてよかったと思いました。人事採用には公募や一本釣りと呼ばれる方法があるのですが、この時はめったにない幸運だったといえそうです。

専任職は毎月決まった給料がもらえ、定年まで暮らしていけます。昇級もあるし、ボーナスも出るし、福利厚生もある。専門書を買ったり学会出張に行ったりするための研究費も付きました。なお、最近は、不況と少子化の影響もあって大学は予算の縮減が続き、なかなか専任のポストがなくなってきました。どこで何を学んできたかという学歴はもちろん、どこかで関連する科目を教えた経験（教歴）も求められるので、チャンスがあれば非常勤講師、最近では任期付きの助教や助手から始めておくのが順当なようです。教える科目によっては、社会で働いた特別な経験が重視されることもあります。

女子大学での日々

専任の職に就くと、その職場に自分の研究室（場合によってはその一角）が与えられ、学生指導を含めてその職場全体に退職時まで関わることとなるので、信頼を受けたぶん責任重大です。教員は、日本社会ではサービス業に分類されるとかで、なるほど研究や学内の委員会など組織運営だけでなく、学生に対してさまざまな便宜を考え、知識や考え方などを提供し教育していかなければなりません。

講義の受講生は、初めのうちは留学生がおもでした。中国、台湾、韓国、ベトナムといった漢字圏の人たちには漢数字や「日本」をそれぞれの国の言い方で発音してもらい、録音して皆で比較したりしました。やがて日本人学生も教えられるようになると、世界中の文字について講義したり、演習では街中で見かけたおもしろい漢字表記などを報告してもらったりしました。

学生たちがパーッと「わかった！」という表情をする瞬間に立ち会えることは、教員冥利(みょうり)に尽き、うれしいものです。「學(がく)」という字の篆書体(てんしょたい)は、先生が両手を差し伸べ、建物の中の学生とやりとりをしていることを表すとの説があります。教えることは自身が教わることでもあると知りました。

受講生たちに「栃(とち)」や「潟(かた)」という漢字を書いてもらい、その字体を出身の都道府県別に地図にしてみたところ、栃木や新潟から遠ざかるにつれて誤字が増える様子がうかび上がりました。また、「躾(しつけ)」をエステと読む学生に出会うなど、新鮮な発見もたくさんありました。

思い出深いできごともありました。教え子が卒業する時に、私は「試験の結果が不本意だったとしても、「合格」とは、そもそも格に合うということにすぎません。与えられた入れ物に合わなかっただけのことで、不合格だったからと言って、自分がダメなのではありません。どうぞ自信を持って、これからも過ごしていって下さい」と話しました。これを聞いて救われた、と何人かの教え子たちに言われたのです。

その頃から、私は学生と相互にやり取りができる授業展開を目指し始めていました。世界の言語や文字について講義をする必要もあり、英語学や各国の言語についても対象を広げて勉強していました。中韓の留学生から漢字について教わることも多く、彼女たちを連れた北海道での研修旅行では、「蛯」という字がメニューに書かれている店に出合うなど、与えられた環境の中で貴重な経験もできました。

一方、プライベートでは、専任の職に就けたのを機に、学生時代から調べごと以外でも支えてくれた人と家庭を築くことになり、落ち着いた研究生活が送れるようになりました。

野外で地名を調べる

少し遡りますが、博士課程のときにはフィールドワークも行いました。たとえば地名に残る方言とその表記について調べるために、両親の住む東伊豆から路線バスに乗って伊豆半島を横断して西伊豆の松崎へ、明くる日はまた同じようにバスで南伊豆へと訪れるのです。

この実地調査は、アポなしでした。相手からすれば突然の見知らぬ客など迷惑千万で、対応できないこともあります。しかし、アポを取ると決まって紹介されるその土地の郷土史家は、民俗学の解釈を加えてしまうことがあり、それぞれの土地で普通に暮らす、地元について少しくわしい程度の方が対応してくれるほうがありがたかったのです。行く先々で真摯に暮らす人たちに出会え、たくさんのことを学ぶことができました。

伊豆で「硲」という字について足を使って調べたときは、初めてお会いする地元のおじいさんが自宅で昼食をご馳走して下さり、公民館へ行き、そこにしかない江戸時代の地図を奥から出してきて下さったのです。この研究の成果は一九九一年に学内の雑誌に発表しました。

「KYON^2」という表記

ところで、大学には「紀要」という学内の編集委員会で作られる研究雑誌があります。そこに論文を掲載してもらいました。学内雑誌ですが、きちんと査読がありました。大学への就職記念の意味もこめて、日本語の中で用いられる二乗マーク「^{2}」について、調べを補足して一九九六年にまとめて投稿しました。勤め先となった大学の女子学生たちからも、たくさん情報を提供してもらえました。当時まだあった貸しレコード屋に出入りして、レコードでの表記を確認したことも一度や二度ではありません。高校生の班ノートや卒業アルバム、文集まで資料として分析し、生の、生きた用例にうずもれる毎日でした。

「キョンキョン」の愛称で当時人気絶頂のアイドルだった小泉今日子さんが、一九八四年に用い始めた表現「KYON^2」に刺激を受けて現れた「Bye^2」のような表記が広まったことも、論文に引用しました。内容は軽薄に見えかねませんが、くり返し記号の使用が禁止されたことを受け、一人のアイドルが発信した個人的な表記が女子生徒らの心をとらえて広まり、さらに広告などで使用の範囲や方法を拡大させてきたことを客観的に記述したものです。こっそりと発表したつもりでしたが、そういうものに限って人の知るところとなり、読んだ方々が学会誌の学界展望やのちにインターネット上でふれてくださいました。

こういうものは遊び、と切り捨てる人もいそうですが、そもそも遊びと日常そして芸術との境目がはっきりしないのも日本文化の一つの伝統だと思います。歴史の切片、断面として見たならば、日本語表記の一角を占めており、位相を知る上で不可欠なテーマでした。実際に、その後、さらにパソコンやケータイの普及も影響して、メールなどで「×2」「02」などの変形が生じました。

パソコン導入とデータ消滅の失敗

ところで一九九五年は、Windows95が世をさわがせた年でした。このOSの普及によって、パソコンは一気に身近なものになりました。皆に研究に合っていると勧められて、私もついにパソコンを導入しました。ただ、Windows95を搭載したものではなく、値段が安くなったPC-98というシリーズを購入したのです。

後輩が操作方法などを教えてくれて、フロッピーディスクに入っていたワープロ入力の文章や資料をパソコン用に変換してくれました。こうして私は、データベースソフトにカードに書いていた国字の情報を打ちこみ始めました。新しいカードに書きこんで、その厚みが増えていくのはうれしいことでしたが、増えるほどに探しづらくなり、お一人の先生からは「そんなことをやっても、なんにもならない」とご自身の経験を元に言われたりもしました。

　夏休みは入力作業に没頭しました。ところが、慣れと不勉強による誤った操作から、五〇日あまり朝から晩までひたすら打ちこんだデータが、不慮の初期化という事態を受けて消滅してしまいました。完全な復元はできず、自分で学ぶこと、紙やデータ管理の大切さを痛感し、再発防止の手立てをしました。

国立国語研究所への転職

　その頃、国立国語研究所というかたい名前の研究所で公募があるとの話を聞きました。受けようかと迷いながら、当時は北区にあったその研究所に調べごとのため寄ってみました。すると対応して下さった所員の方々がとても親切で、印象がよく、ここならばと応募を決心したのでした。

　こうして初めて公募というものを受けました。履歴書、業績一覧、一部の業績の実物やコピー、恩師からいただいた推薦状を取りまとめて提出し、結果を待ちました。そして面接を経て幸運にも採用の通知を受けたため、一九九六年に三年間奉職した女子大学をあとにしました（非常勤講師は続けさせてもらいました）。人生初の転職です。

最初の就職先であり、おどおどしながら手探りで同僚や学生たちと接した思い出深い赴任校にはうしろ髪を引かれる思いがありましたが、そこは組織ですから、一人抜ければもともといなかったもののようにして、あるいは補充をして先へ進んで行くものです。

こうして私は、一時期あこがれを抱いていた国立国語研究所へ移ったのです。そこには、日本語学や日本語教育を専門とする研究者がたくさん在籍していました。図書館には資料も豊富にあり、刺激に満ちていました。

元所長の林大先生からは、戦後ずっとたずさわられた漢字政策に関して、いくつものお考えを具体的にうかがえました。字体について質問をしていると「字体はとても大切だけれども、漢字が日本語の表記にどう使われるかも大切だ」と教えて下さいました。また、ベストセラーとなった国語研の『分類語彙表』をつくったのは「ある漢字がどのくらいの、どういう意味分野に広がっているのかを知るためだった」と個人的にお話し下さいました。先生は、漢字と日本語の語彙との結びつきのあり方について開拓し、真実を追い求められたのでした。

勤めている間に、それまでの内外での業績をもとに研究員から主任研究官という管理職に昇進できました。ところが、当時盛んだった行政改革の名のもと、組織が文化庁から切りはなされて独立行政法人というものに変更されたことを受け、身分も国家公務員から国家公務員型に変わりました。そのため、役職も主任研究員に変わりました。その後、さらに国家公務員でもなくなりました。そうした状況ではありましたが、日本語研究の広がり、研究課題の設け方、書類の書き方、予算の配分や省庁との関係など、国語研では人々とのつながりと視野を広げることができ、非常に勉強になりました。

研究所での仕事

研究所時代には、雑誌や新聞の用字、表記の調査やコーパス作成など色々な仕事を経験し、向き不向きを知るとともに自分にしかできないことをやらなくてはと考える契機を得ました。電子政府の文字の基盤(きばん)を作るための業務の一環として、地名の漢字を現地調査するために各地に出張しました。

「ほとけ」という学生時代の思い出深い字を使った地名の地、青森県東北町俻沢では、実際に現地で使われている字形や生活の中で覚えていく三つの段階（ほとけ→仏→亻国）まで教えてもらえるなど、すてきな思い出もできました。

方言漢字は減少しつつあります。岩手県岩手郡滝沢村大釜の字「埖溜」は、二〇一四年に失われた地名の一つです。担当する省の役人がこうしたことを知らなかったことは残念に感じましたが、大きな組織で過去の細かいことまで伝わらないのはやむをえないかと思ったものです。

とりわけ勉強になったのは、認知心理学で著名な学者の方たちとの学際的な共同研究で、字体に関する好み（選好）、なじみを調査したことです。この調査から「字体にゆれがある場合、接触する頻度の高い方になじみがうまれて使いたくなる、つまり好きになっていく」という傾向を統計的に明らかにすることができました。この研究では、日本語学では知りえない思考法や分析結果に出会うことができ、その成果を『計量国語学』などの学術雑誌に共著や単著で投稿しました。

また、パソコンが普及した二〇〇〇年頃には、「JIS漢字（日本工業（産業）規格で定められたコード表に載った漢字）やユニコードが、漢字を制限したり字体を略したりして伝統を破壊している」という見方が力をもち、「漢字を守れ」という日本文藝家協会のキャンペーンをめぐる攻防に、随所で関わることになりました。

ただ、字のデザインと骨組みとの境目を研究者も世の中に向けてあまり発信してこなかったこともあって、信条や感情に基づく主張や不毛ともいえる議論にエネルギーが浪費されてしまう面もありました。文字は歴史があり、社会で共通の道具(ツール)、表現の素材としての性質が強く、情報伝達のために手を加えてはいけないと思われがちです。それはそうなのですが、時代に合わせて変えていく必要もあるのです。しかしとくに最近は「手を加えてはいけない」と信じこまれているようです。

政策に関わることには、研究者として慎重であるべきだと教わってきました。政権の意向や行政の都合にふりまわされて権威におもねる御用学者となり、真理追究という研究の本質を忘れてしまうことを避けるためです。その一方で、個人の立場では得られない資料や調査に関わることで、研究を開拓して飛躍的に推進させることもできるのです。研究成果の社会への還元が求められるなか、世の中の問題を解決するために重要な役目をもつ組織の中に飛びこんで、遵法精神はもちろん批判精神を忘れずに当事者の方々と取り組んでいくことで、そうした役割も果たしうることがわかりました。

これらはほんの一例ですが、ＪＩＳ漢字も常用漢字も、世間で暮らす生身のだれかが作っているのです。それが「より多くの字を使いたい」という要望を、社会全体あるいはルール自体のために抑制する方向に向かうこともあります。私は、言語や文字がよりよくなっていくための変化の息の根をとめたり、健全なコミュニケーションのための自由な表現をうばったりしないように、いつも自問しながら仕事をし、それらを決める委員会の席で発言をするように心がけるようになりました。

JIS漢字（経済産業省の所管）の調査

まだ女子大学に勤めていた頃に遡りますが、一九九五年、ＪＣＳ調査研究委員会に招かれました。幽霊文字（もとのなんらかの字が誤って形を変えられて新しく生じてしまった字）の検証のためでした。私が近代語研究会や女子大学の紀要などに幽霊文字について発表し始めていたことが目にとまったようで、一次資料に当たって改めて調査ができることになりました。

凄腕の委員長が役所のような組織から一級の資料、原資料をいくつか借り出して来たのです。私のようなものを引っ張りこみ、自由に仕事をさせてくれた点はじつに見事でした。漢字研究は机上で古書をひもとくイメージでしたが、真相究明のためには、実際に新しい資料も見る、取材もする、さらに実地におもむきフィールドワークも行う必要があったのです。

泥くさいと感じる人がいそうな作業ばかりです。
『角川日本地名大辞典』に収められた「小字名一覧」を拡大コピーし、一念発起して毎朝五時に起き、数百万件の地名に少しずつ目を通し、おもしろいと思ったものを抜き出して入力していきました。毎日の積み重ねはものをいいます。地名は国字、方言漢字などの宝庫で、水俣市の地名「腪割」を見つけていたことなどで、幽霊文字調査に貢献できました。そこには、ＪＩＳ漢字で謎とされてきたものが他にもところどころに見つかりました。

幽霊文字と地名の漢字を調査するために委員会が国土地理協会から借り出した『国土行政区画総覧』は、図書館では最新の状態しか残りません。毎月交換される過去のページは発行元の協会によって回収されるため、協会にしか残されていません。世界に一つしかない貴重な資料なのです。その除去されたページを全部合わせて並べると三メートルを超えました。

それが勤め先の女子大に送られ、その後、私と一緒に国語研に移ることになりました。コンピューターで文字を読みとるＯＣＲ機能でパソコンに読みこんで探せば、という人もいましたが、九九％の精度でも、大量の見過ごしが発生します。しかも辞書にないような謎の字が相手です。漢字が専門なのですから責任を持って見落としをしないようにと、一文字一文字目をこらして探索していきました。

こうして一メートル近くまで見ていった時に大きな発見がありました。「妛」という字が「妛」の作字のミスで生じた幽霊文字だったことを紙面で明らかにできたのです。役目を終えて取り除かれた古ぼけた紙を隅々まで追っていく、この徒労とも思える作業にひるんで立ち向かわなかったら、この字の由来は永遠の謎となっていたことでしょう。

この種の転記ミスが、自分が小学生だった頃に知った地名の方言漢字である「橳（榜になった）」や「箞（巻の部分が変形した）」などにも起きていたことなど、たくさんの事実を掘り起こせたのです。原典の威力をまざまざと見せつけられました。

三メートル余りものこの資料を最後まで見終えたことを報告した委員会では、エディターという重要な役目を献身的に務められていた先生が、委員会ではめずらしいことに拍手をうながしてくださり、のちに「超人的」な努力と称してくださいました。

幽霊文字の正体を暴く

さて、「墹」「壗」の類の字は「ママ」と読み、上代から東日本に広がる崖や畔などの斜面を意味する方言に対して各地で造られた字です。「壗」は私が神奈川県の足柄付近におもむいて最初の現地調査をした字で、地元の人たちはこれがめずらしい字だと認識していない、という現実を目の当たりにしました。
また、「墸」はおそらく「堵」から生じた幽霊文字ですが、委員会の最中にエディターの方が持ってきた『集韻』(しゅういん)という発音から引く辞典を開いたらたまたま出てきて、すぐさま衝突(しょうとつ)する用例として報告できました。

この字体の「衝突」という概念は、こうした用例を分類する中で明確化できた概念と術語です。別個に生まれた字が、字体だけ一致する現象のことで、言語地理学で言う衝突を応用したものです。たとえば「鍄」(きょう)という字は各国で出自が一〇種以上見つかり、音や意味に衝突が多発しました。中にはたまたま音や意味まで一致するケースもあり、それは衝突ではなく「暗合」と呼んで区別しました。また、「堽」(ひさぎ)は、大分の当地の方言の音韻の特徴とあわせて考えることで、もとは「提」であったことを論証することができました。

私のJIS漢字への関与は、JIS第3・第4水準の開発と、その後の修正まで続きました。第3、第4水準には、用例などから必要と考える字を採用してもらいましたが、地名調査の過程で、調査されることによって現地の地名が失われるという事態に直面し、客観的な立場を取り続けることの困難さも思い知らされました。

それでも、「あけんばら」の「安」は、ここでJIS漢字として採用できました。先に紹介した地名の方言漢字「橳」「箞」なども、思い出深い「[illegible]」も、もれなく採用されました。「草彅（くさなぎ）」という姓（せい）に使われる「彅」の字もここでやっと収められましたが、まだ文字化けをするシステムがあるといった理由で「草なぎ」と書かれることがあります。

　こうした字がネットやメールできちんと入力されているのを見ると、感慨深いものがあります。コンピューターが勝手にコードを決めたわけではなく、これまで述べてきたように、人々による一字一字の調査研究が基盤となって採用されているのです。

JISの記号

　JISの委員会では、地名の漢字以外でも、広く文字や記号の検討に関わりました。たとえば「〼（ます）」記号は、委員会で昼に配られた弁当の箸袋（はしぶくろ）で見かけ、そのまま提案して採用されたものです。江戸時代からのやや地味な存在ですが、今や貼り紙からツイッターまで色々な場面で使われ続けていて、見るとあの時のことを思い出してにんまりしてしまいます。なお、ハートマーク「♡」や温泉マーク「♨」も、その時に、併せて採用されました。

研究所での意外な仕事

ところで、研究所には漢字に対する質問の電話が寄せられることがありました。市民の方々、行政に関わる方々などの疑問に向き合う貴重な経験ができました。また、研究所があった北区の十条には町の印刷屋さんがいくつかありました。そこに勤めるおじさんたちが教科書体の活字の表外字の字体について意見が分かれたといって、相談に来たこともあります。

二〇〇〇年のある朝、財務省印刷局の人たちから連絡があり、エンピツ書きの二千円札を示されて書体のチェックをしてほしいと依頼されたこともありました。悲惨な殺人事件の捜査をしている刑事さんに、筆跡から人物像がわからないかと犯人が書き残したメッセージを提示されたこともありました。研究所時代は、文字・表記の担当として、ほかにもじつにさまざまな仕事に関わる体験ができました。

テレビと大学

ところでテレビ番組でも、漢字をあつかうと視聴者に喜ばれる傾向があるそうで、この頃から依頼を受けると協力や出演をするようになりました。ただ、テレビ業界にはノリと「演出」のために無理な作り方を何度かされて懲りたので、よほど意義がない限り断るケースが増えていきました。

テレビもラジオも講演も講義も、ほとんど緊張することなく、自分らしくふるまえるようになっていました。それは、準備をしていて内容に不安がないこと、休むときにはしっかりと休んでいること、そして学生時代に悩む必要のないことにまで悩み、その苦しみの正体をつきとめて解消し、克服しておいたおかげです。

大学の非常勤講師は、研究所に在職している最中も続けていました。二〇〇二年には、大学院の先輩が山口大学で集中講義を、と招いて下さいました。国立大学の教壇（きょうだん）でも、落ち着いて気持ちよく講義ができました。この辺りの「乢」など「たわ・たお・とう」と読む方言漢字の話をすると、すぐに裏山にその地名があると受講生が教えてくれて、行ってみると細い坂道に道祖神（どうそじん）がたたずんでいました。

大学の講義では、質問したことに真剣に回答してもらい、さらに皆で考える素材となるよう最大限フィードバックするように努めています。講義や講演は、できれば知的にワクワクしてもらいたいところです。それをきっかけに、もっと知りたいと思って、本や論文などによりさらに詳細（しょうさい）な世界に導かれていってくれればと期待しています。

毎週、約一〇〇〇人もの学生たちとレビューシートなどを通じて情報を循環（じゅんかん）させることは時間的にも体力的にもぎりぎりですが、私も初めて知る物事や考えさせられる意見や質問も見つかります。教学一如、教えることは教わることでもあるのです。

子の名に付けられる漢字

さて、ここから少し、人名の漢字についてのお話をしたいと思います。札幌で赤ちゃんに「曽」という字を含む名前を付けようとした方がいたのですが、「曽」は当時、法務省が戸籍に登録する子の名前として使用を認めていない字でした。それを不服とした親御さんが役所を訴えたのです。

二〇〇三年一二月、最高裁判所で、このようによく使う字を入れていない法務省令の「人名用漢字」は、現状では違法で無効という決定が全員一致で下されました。これに対する法務省の方々の受けた衝撃は察するに余りあります。年明けには「曽」と同じ水準にある「常用」かつ「平易」な漢字を人名用漢字に大幅に追加するために、法務省の法制審議会に人名用漢字部会が設置されました。私は国語研の主任研究官、文部教官（研究職）という国家公務員でした。幹事として、審議会の部会に所長とともに参加することになりました。

私は人名用漢字に入っていなかったために命名に使えなかった字について、数値を出して個々の重み付けを示すとよいと意見を述べました。すると、その要望に対する調査を一任されたのです。全国の五〇か所にある法務局から法務省の職員を通して送られてくる資料を、文字の同定を最新の研究の水準に合わせて厳密に行いながら集計するうちに、親御さんたちの生の声を映し出す実態がうかび上がってきました。

なかでも、「腥」という字を使いたいという要望が増えていたことに驚かされました。これはセイという読みで、「腥」の漢和辞典での部首は月ではなく肉月(にくづき)なので、じつは、「なまぐさい」とか「豚(ぶた)の霜降(しもふ)り肉」といった意なのですが、月と星で夜星とかロマンチックな感じがするということで、名前に付けたいと思われたようです。漢字のもつ意味よりも、直感的に得られるイメージが優先されているわけです。このことは、漢字が表語文字、表意文字の段階から、表イメージ文字に変わろうとしているという気付きにつながりました。

意味よりイメージ?

また、子供への名前の付け方に、新たな動向も見出せました。アニメなどからのあやかり現象です。「雫(しずく)」を使いたいという声が非常に多かったのは、ジブリ映画『耳をすませば』の主人公・月島雫にあやかったものでしょう。「獠(りょう)」という漢和辞典ではよい意味が載っていない字が何件も要望されたのも、漫画やアニメで大人気だった『シティーハンター』で育った世代が、主人公・冴羽獠の字をわが子に付けたいと思った結果と推測されます。

また、「凛」は「凜」の俗字ですが、パソコンで出やすくバランスもいいと人気で、ちょうどこの時放送されていたテレビドラマの影響からか、最終回に向けて名前への使用の要望が高まっていきました。ただし、放送が終わるとそれも減っていく、という正直なトレンドの変化もうかがえました。テレビ番組の戦隊物で名前に使われていた「駕」もまた、同じように推移しました。名付けも世に連れ、ということです。

「曖」は世の中での使用頻度が「曖昧」として高いことから、人名用漢字に採用されました。愛情がある感じ、あたたかい感じがするそうで、さらに辞典にある「ほのか」という訓もイメージがよいようでした。この字はその後、常用漢字に格上げされました。なお、印刷物によく出てきたことから案に載った「糞」「屍」などは一般の人たちから意見をつのったパブリックコメントなどで不評だったため落とされました。

さらに、造字は今でも行われていること、名古屋では金偏を付ける習慣がまだ一部に残っていることもわかりました。「閖」は仙台法務局からの報告で、以前から地名に基づき命名に使われ、ハンドルネームにも人気があるものです。方言漢字の根強さを教えられました。

つまり国が定める法令の類も、金科玉条であってはならないのです。世の中の動きに合わせて人の心と共に漢字の使用頻度や用法も変わります。「常用漢字表」も改定され続けていくわけです。最高裁まで争われて認められなかった「瑛」「玖」という字も、のちに人名用漢字に追加されました。

このように、研究が政策に直接寄与し、しかも命名が社会の動きと密接にリンクしていることの発見につながる仕事は、研究者冥利に尽きるものでした。

コラム

姓名判断

研究所時代、家庭では待望の子宝に恵まれました。長男が産まれたのです。意外に思われるかもしれませんが、私は、名付けでは漢字よりもまず発音、つまり響きから考えました。文字を知らぬ古代の日本人も名前は持っていた、ということを学んでいたので、呼び名こそ名前の本質だと考えたためです。漢字は形や意味を重視して、読みも皆にわかってもらえるように簡単な字を選びました。

よく話題にのぼる姓名判断などとよばれる現在の画数占いは、日本で昭和期以降に流行ったものに過ぎず、そもそも漢字は根源的には画数という概念をもたず、さらに字形の差や画数の数え方に一定のものなどないので、まったく参考にしませんでした。

ちなみに、幕末までは発音占い、それ以前は字体占いが流行りました。漢字に関する根拠の不明確なルールのようなものにしばられて名付けがゆがむのは、本末転倒だと考えます。

9

粁(キロメートル)、蛯(えび)
——博士論文と北海道の蛯天丼

母校に戻る

二〇〇四年のある日、母校の早稲田(わせだ)大学で、教員の公募があると知りました。色々な方のお話をうかがううちに、最後の最後になって書類を整えて応募することにしました。公募に応募するのは九年ぶりです。研究所でも落ち着いた毎日を過ごすことができるようになっていたのですが、やはり大学にはあこがれがありました。しかも母校です。

応募書類は履歴書(りれきしょ)と研究業績一覧のほか、研究計画、そして教育職なので講義の方針という文章が指定されていました。人事選考は、その時に組織が求める人物像に近いかどうかで決まります。いかに優秀な人でも、学部の募った専門分野と自身の業績の内容とが違う場合などは、選考から外れてしまうのです。

書類審査による選抜を経て、面接を受けました。面接では、学問と教育、学内運営に関する質問を受けました。近年は、面接員を学生に見立てた模擬授業が課されたり、英語など外国語による質疑応答も試されたりすることがあります。専任として学生に接することになるので講義を円滑（えんかつ）に展開する力のほか、外国語の運用力や、一般には人間性、誠実さや協調性も大切とされるようです。

幸運にも採用通知を受け取って、二〇〇五年四月から赴任（ふにん）することとなりました。色々な仕事をしてきましたが、たとえば携帯電話を使ったショートメールの類まで研究していたことが、この学術院の指向性に合っていたそうです。採用が決まるとそれまでの経歴や業績から格付けがなされます。私は最初に勤めてからの期間がそこそこ長かったためか、助教授として採用されました。女子大では専任講師でしたから、一文字被（かぶ）さっていても「教授」という二字には、重みと年齢を重ねたことを実感したものです。

自分自身へのお祝いとして、丸ノ内の丸善本店に行き、奮発して万年筆を買いました。「毎日使ってやってください」と、上品な店員さんがキャップを閉めてケースに入れて渡してくれました。赴任した年ということで四月初めの入学式に出るようにうながされ、真っ黒な式服、アカデミック・ガウンと博士のようなキャップ（帽子）をかぶらされました。まるでコスプレのようでした。博士を示すフードはまだありません。同期採用の新任の先生たちと少しはしゃぎましたが、写真を撮り損ねました。

教授としての日々

「大学教員は、講義さえしっかりやればあとは自由」という時代もあったようです。私も転職前には、昼間に映画を観に行けるのか、とうらやましさが募っていたのですが（もちろん映画館では字幕の文字のチェックもします）、いざ転職してみると、研究、教育、学内の仕事などで、すっかりいそがしい職場に変わっていました。

就任の年は、週に講義は六コマほど。少ないようですが、一コマは一時間半で、話し続け、書き続けます。早大は学部が多いため、そのほかにも兼担が三コマ、四コマと増えていき、さらに大学院も修士課程、博士課程と担当するようになり、どんどん増えていきました。講義の準備では、前回のふり返りもしないと、同じことを話しかねません。会議日もあり、各種の委員会なども随時入ってきます。学生からの相談や質問、推薦状の依頼なども届きます。

勤め先は社会科学部なので、「どうして文学部ではないの？」とよく聞かれますが、たまたま公募があったからにすぎません。社会科学部にも人文学系に関する学習を望む学生がたくさんいて、また、周りにはさまざまな分野の先生や学生に恵まれているので、いろいろな情報が入ってきて勉強になります。

たとえ私の専門の大きな枠組み（わくぐみ）は人文科学であっても、政治学、経済学、法学、商学などの社会科学からも、さらに自然科学からも学ぶところがたくさんあります。研究の方法と対象から見て、私の最も中心にある学問分野は日本語学だと思っていますが、他の研究分野のよい方法や独自の方法も必要に応じて取りこみ、真実を追究するために学際的でありたいと考えています。そうした研究業績などの審査を経て、教授に昇任することができました。

「左馬（ひだりうま）」の記憶

さて、勤め先の大学で「読売新聞」のデータベース「ヨミダス歴史館」（明治・大正・昭和）のフリートライアルが始まりました。

そこで、子供の頃に新聞で見た記憶のある「馬（左馬）」を検索してみたところ、その記事がヒットしました。おぼろげな記憶の正体は、一九七九年の記事、まだ一三歳だった私が当時見つめていた紙面にありました。しかし、そのころは「これはおもしろいが、遊びのようなものだ」と判断したようにうっすらと覚えています。そのため、「左馬」は、記事を切り抜いたりノートに写したりもせず、結局三〇年以上も「あれはどこで見たのだろう?」と引きずってしまったのでした。

かつては夢想に過ぎなかった、こうした過去の資料探しが、今や机上で楽にできるのです。そういう意味で、良い時代になってきたと思います。海の中で針を探し出すがごとき作業が、簡単にできるようになったことは間違いありません。それでもやはりコツを要し、また検索では見つからないものも残されています。

ついに博士論文の提出へ

その頃、学恩の深い先生から「そろそろ博士論文を書くように」と慫慂をいただきました。当時、文学部出身者にとって博士号は「功を成し名をとげた大学者が最終的に授かる名誉」という側面があるとされていました。「末は博士か大臣か」と子供の時、耳にしたものです。

しかしかつて夏目漱石は、文部省から博士号の授与の知らせを受けて、送りつけられたその証書を非常に迷惑に思い、返却しています。文人の気骨や気概というものでしょうか。明治期には「大博士」という学位も設けられましたが、一人も該当者が出ないまま廃止されたため、現在も博士が最高の学位です。学位（学士、修士なども含みますが、とくに博士号のことをこう言うことがあります）など持っていなくても、素晴らしい学問を修められた方はたくさんいます。ただ、名刺に博士と刷っていないと、博士がたくさんいる外国の学会などで若手はなかなか認めてもらえないと、ときどき耳にしました。

当時の私は、博士課程満期退学は事実上の博士号として見られるくらいに思って納得していました。ですが、尊敬していた漫画家の手塚治虫も医学博士でした。医学部出身者の一部では、博士号は「足の裏の米粒」にたとえられるそうで、「取らないと気持ち悪い、でも取っても食えない」というように、比較的取得しやすい環境ができていました。世界の実情に合わせようとした文部科学省の新たな方針を受けて、人文系の諸分野でも、博士号は研究者のゴールではなく出発点と位置づける方針転換が起きたのです。

こうして文学系の大学院でも、私たちよりもあとの世代の人たちが次々と「博士（文学）」という学位を受け始めました。「博士（学術）」という、より広めの学位も耳にしました。このかっこで専攻名を表す方式は、一九九一年に学校教育法が改正されてからのものです。「一人で研究を推進していく力のある者」というくらいの位置づけとなったので、若い研究者こそ取るものということに変わったのです。

子供のころから活字などで目にしては、あこがれた博士号です。英語ではPh.Dと哲学者のような訳になり、欧米など外国の大学で授与されるとこれを用いることになります。日本の博士号も訳すときにはよくこれを用います。現代では、大学院の博士後期課程において、在学中か退学後に一定の年限の間に、学位請求論文を書き上げ、一般にそれと履歴書などの書類に対する審査と語学試験、公聴会、口頭試問を受けて合格すれば博士号がもらえます。ほかに学位授与機構という公的な組織が授与することもあります。

一方、日本では伝統的に「論文博士」と呼ばれる博士号（学位の番号の前に、「課程博士」の「甲」ではなく「乙」が付けられます）も存在しています。それこそが中堅、大御所の先生方の中の一部の方が著書である研究書や重厚な論文を提出して得るものでした。かつては、他薦により博士になる制度もありました（漱石はそれを辞退したわけです）。

その論文博士に、私と同じくらいの世代の研究者たちが挑戦し始めたのです。明治以降に「学位令」などによって制度化された学位としては、「ハカセ」ではなく「ハクシ」が明治当初から正式だそうですが、ハカセと呼ぶことも多く（とくに西日本で多いとも聞きます）、これは古の百済の制度や発音の名残と推測されています。令制で大学寮の教官の職名となり、明経博士（儒教の経典）、書博士（書道）、音博士（漢音）、文章博士や天文博士、陰陽博士などが教育機関に置かれていました。「博士」は常用漢字表でも付表に収められています。古くは「バクジ」とも言いました。

私はその後、博士論文を書くようにもう一度うながされ、いよいよ本腰を入れました。それまでに、雑誌や論集などさまざまな媒体に、自分で問題意識を持ったテーマで、あるいはもっと知りたいと思った字について、あるいはたのまれた題目に沿って書いてきた論文が数十本もたまっていました。その中から、研究の核にすえていたライフワークである「国字」に関する作品を二十数本選び出しました。ストーリー性が大切との職場の学位をもつ先輩からのアドバイスを念頭に、目次を作って、再び編集を始めました。

しかし、何年にもわたってさまざまな媒体に書いてきた文章なので、記述が一貫していなかったり、過不足が出てきたり、外字の管理をやり直したりと大変でした。それでも、この編纂を通して、自分がこれまでがむしゃらながら何をどう対象にすえて、どのような概念を設定して多彩な現象をどのように整理し、どこまで事実や真理を明らかにできたのか、限界がどこにあるのかをはっきりと知ることができたのです。一冊の本にまとめ直すことで自身の研究をふり返り、全体像をとらえる良い機会となりました。「腺」「膵」「濹」「粁」といった国字は、調べているとき、そしてそれを字誌という私が提起した独自の形式にまとめているときには、なにか愛しく感じられたものです。

事務所への提出のしめ切り間近なところで、正月に疲労がピークに達して発熱し、かかり付けのクリニックで点滴を打ってもらって何とかもちこたえました。

この学位請求論文(学位(申請)論文、博士論文、博論とも)を、業績リストなど各種の書類とともに同じものを数部提出し、審査料を納めたあとに、学部、大学院時代を過ごした戸山キャンパスで、予備的な審査によって主に形式に対するチェックを受け(今は、専用ソフトにより引用に不正がないかのチェックも導入されています)、また面接による公開の口頭試問を受けました。審査会を構成する主査、副査の先生方が一編の評価のためにたいへんな時間と労力をかけていらしたことは、自身もその立場になってよくわかりました。最後は、年度を越して五月に文学学術院の教授会の審議を通過し、その日のうちに博士(文学)という学位を授かったのです。

博士になってみて

その後、理事会を経て、博士号は二〇〇六年五月付けで授与されました。ただ、学位授与

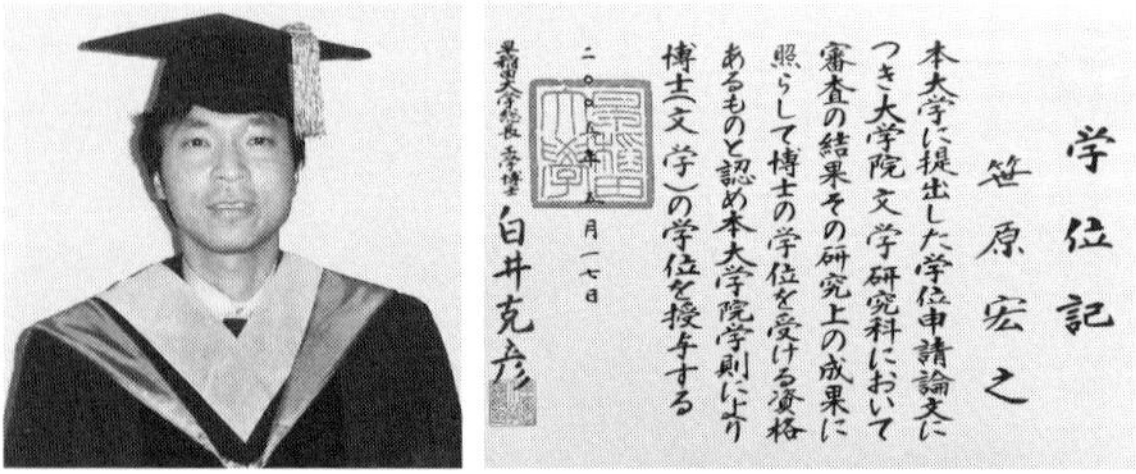

学位記
笹原宏之
本大学に提出した学位申請論文につき大学院文学研究科において審査の結果その研究上の成果に照らして博士の学位を受ける資格あるものと認め本大学院学則により博士(文学)の学位を授与する
白井克彦

図 9-1　晴れて博士帽をかぶった．学位章は記念に購入した．右は学位記(部分)

式は、そうした提出と審査のタイミングから九月の卒業式の日となりました。大隈(おおくま)講堂の壇上(だんじょう)で、総長から学位記を授与されるのです(図9-1右)。

半年ぶりに貸与された真っ黒なベルベットのガウンを着用し、深紅のフードに、今度は、博士(文学)を表す銀灰色のフード(学位章)が重ねられました(図9-1左)。家族だけでなく、あたたかく御指導下さり、審査に至るまでたいへんお世話になった主査の先生もお越しくださいました。

理工学系のたくさんの卒業生に混じって学位記を受け取り、肩の重荷が降りるとともに、独り立ちをしたからにはしっかりやっていかないと、という新たな責任感を抱いていました。授与されたのは決められた課程内の期間を超えた論文博士なので、学位授与証には乙種で通算の番号が書きこまれていました。その論文は、国立国会図書館と早大の図書館に所蔵され、その概要書と審査報告要旨(ようし)はインターネットでも見られます。

　博士になったら、アニメなどで「わしがハカセじゃ」と言う学者のイメージの通り、何でもわかるようになっている、と私は何となく想像していました。しかし博士号を授与されたからといって、急に学識が深まったり見識が広がったりもせず、とくに変わることはありませんでした。そもそも日本という独特な環境の中では、学位など持たずとも研究を究(きわ)め、名を成した先人たちがたくさんいるのです。大学の研究教育職への就職に博士号が必須(ひっす)とされるようになってきたのは最近のことです。

　漢字を研究するに当たって漢字を対象化、客体化することの大切さを、論文を添削(てんさく)していただく機会などを通じて、恩師から学びました。好きな対象と一体化しているうち、つまりそれを見ていると楽しくてしかたがなく、耽溺しているような間は、客観的に漢字のことをとらえられないのです。

　好き嫌いや良い悪いを別として、素材として漢字を見つめる。そういう科学的な態度で臨むことから、対象の本当の姿や働き、そして本質が見出せるようになっていくわけです。

国字「蛯（えび）」を調べ、時代差、地域差、集団差を見出す

博士論文の執筆に集中して取り組んでいた当時、次男に恵まれました。本も増えて家に手ぜまな感じが募り、二〇〇七年に駅から少しはなれた広めの中古住宅に引っ越しました。半地下がある堅牢（けんろう）な家でしたので、蔵書もかなり収められそうだと判断して決意しました。

この頃はだいぶくたびれていたはずですが、論文を生産する力は高くなっていました。二〇〇六年頃、蛯原友里（えびはらゆり）さんというモデルがメディアによく登場し、「エビちゃんブーム」がまき起こりました。そこで突如、国字の「蛯」についてまとめようと思い立ちました。漢和辞典では、「国字　えび」といったわずかな情報しか示されていない字です。

それまでに撮った文字の写真や、書物や辞書、論文などから集めていた用例、収録例も引き出して、パソコンに打ちこみました。その写真とは先にふれた女子大の仕事で行った北海道の室蘭（むろらん）で撮っていたもので、東京などでは見かけない、レストランのメニューサンプルに置かれた紙に手書きされた「蛯天丼」という字でした。

雑誌から飛び出してメディアを超えて活躍し、かがやいていた蛯原さんへのオマージュとばかりに、不思議なエネルギーを発揮し、二〇〇七年に「蛯」だけで二本の核となる論文を書き上げました。一本は、日本語の文字研究に大きな道筋を開いた『国語文字史の研究』と

いうシリーズの書物に、もう一本はちょうど入会の勧誘をいただいていた『訓点語と訓点資料』という歴史ある査読付きの学会誌に、掲載することができました。

「蛯」という国字ができるまでの史的な過程を奈良時代より前から押さえ、中国の「鰕（えび）」が伝わったのに、日本では古くから「海老（えび）」（髭（ひげ）が生えた海のおきなという発想から）と書かれ、それらが合わさって「蝫（えび）」ができ、さらに江戸期に「蛯（えび）」を派生した、という時代差を解き明かしました。そして、「蛯」は江戸時代には名古屋より東でよく使われていた事実を、文献を調べることで突き止め、その地域差が地名などで今に残ることを解説しました。さらに、大学生たちへのアンケート調査を通じて、エビちゃんブームによって、女子短期大学生の間での読みの認知度が高くなったという集団による差（位相（いそう）差）まで、数値とともに述べることができたのです。

話を聞いたゼミ生は「先生の研究のすべてがここに凝縮されていますね」と指摘してくれました。たしかにこの研究によって、用いる表記の国・言語による差、歴史の中の時代差、方言になぞらえうる地域差、位相・変異といえる社会集団による差、そして一人一人の示す個人差まで統合できました。エビの字に関する動態をかなり立体的に証明しえたのではないかと、めずらしく達成感のようなものが得られ、大学で公開用の動画にもしてもらえました。

こうした使用の変化と変異に関する成果を見て下さった編集者の方によって、「蛯」の字が国語辞典に見出し表記として採用されました。波及的な効果が思わぬところに出てくることがあるのです。遅れて私も辞書に示しました。

最初の出版は新書

じつは博士論文を書き上げる前に、幸運にも出版社の編集者の方々から依頼(いらい)をいただいて本を書き始めていました。これにはなるべく自分自身が知り得たこと、類書にあまり取り上げられなかった、でも重要と思える内容を盛りこむことを心がけました。『日本の漢字』という、年齢のわりに少々大きなタイトルとなり、二〇〇六年に岩波新書として上梓(じょうし)できました。それまで、共著や論文集はありましたが、私の単著の単行本のデビュー作はこの本になりました。「歴史ある岩波新書でデビューというのは幸先(さいさき)がよい」と出版界の方にはげましていただきました。

『日本の漢字』には、私自身がおもしろくて意義があると感じたことをたくさん記せました。ただ、研究者としての良心がとがめるとまでいうと大げさですが、確信を持てないことを断言することはできず、なかなか心に残せるような大胆(だいたん)なことは書けないものです。とはいえ、それまでの自身の研究成果を中心に、タイトルに沿った内容をわかりやすいようにまとめた一般向けの本が出せたのです。とっくに若手ではなくなった今、世の中に対してもさらにメッセージを送り続けていかないといけないと感じています。

この岩波新書の九九一点目となった小さな本は、日本語学のこれまでの常道や常識から外れたものだと思いますが、「おもしろかった」と言って下さる方が思いのほか多く、一三刷を超えた今も少しずつ時代に合うように直しを入れながら刊行され続けています。印刷所も、精興社という美しい活字でつとに有名な会社となりました。

博士論文の出版

大学で博士号を受けた場合、その博士論文は公開する義務があります。最近では、インターネットに審査要旨と全文と要約が載るか、全文を出版することが増えています。私の場合は、さまざまな条件のもとに出版社が引き受けてくれたので、増補訂正をしながら、版下原稿と索引を整え始めました。これが思いのほか時間を要しました。

八二四ページにのぼった博士論文を九〇〇ページ余りになるまで補訂して刊行した『国字の位相と展開』にお寄せ下さった序文の中で、恩師は、世に漢字好きな少年は多いが、研究者になるケースがまれであることをご指摘（してき）になりました。以前、取捨選択が惜（お）しくてやみくもに用例をつめこんだ原稿に対して指導をして下さった折には、「対象化ができていないんだな」とおっしゃってくださいました。最初は、どういうことかと思いましたが、やがて大切なことだとわかったのです。

本が刊行されると、そこで扱った字は自分からちょっと遠のきます。しかし、一時は本気で執心していた字なので、その後も何かで見かけると、なつかしいような気分をもって採取を続けるのです。そもそも小学生の時に漢字を好きになったわけですが、だんだんとその漢字を使う人間に関心の中核が移り、さらにその心理、またそれらが複雑に織り成す社会へと興味が広がっていきました。

人間がやっとのことで生み出し、改良の余地に対して改良を重ねながら育んできた、なおも未完成な素材である漢字から、いい面も悪い面ももった不完全な人間そのものが見つめられるようになれた気がしています。先人が変えてきた文字は、私たちがさらに今の時代の人々に合わせて使いやすく変えていかなければならないのです。

『国字の位相と展開』は、せっかく刊行するからには、と索引を編むだけでなく、内容のブラッシュアップも続けました。伊能忠敬（いのうただたか）の日本地図にあるのではと思い立って、出稿する最後の日に、大学の図書館で当たった資料から用例を補いました。研究に本当の意味での完成はないのですが、紙幅（しふく）としめ切りという物理的な制約はありますから、どこまで完成度を上げられるか、どこで妥協（だきょう）し、どの段階で納得できるか、自分とのたたかいが続きます。到達点はすなわちその瞬間の限界点の表明でもあります。それを目指すためには心身共に健康であることが大切だということは、院生になる頃に痛感していました。

この頃、三省堂に、それまでになかった現代の当て字の辞典という企画と併せて刊行の相談を持ちかけたところ、出版不況の中にあってお力添えをいただけることになり、それまでに仕事をご一緒してきた編集者の方々との御縁の大切さとありがたさを思い知ったものです。大学から研究出版の助成をいただけたことも後押ししてくれました。

新聞記者の方がこの本に関心を抱いてくださって、「朝日新聞」に大きめの記事を書いてくれました。そのため、部数は少ないのですが博士論文としては異例の三刷まで印刷してもらえたのはまさに望外の喜びで、さらにいま、その電子版まで作ってくれています。

初めての受賞

博士論文『国字の位相と展開』は、その年度の金田一京助博士記念賞を受賞する栄誉に恵まれました。審査はそれまで面識のなかった委員の先生方によって行われたそうです。

他者からの評価や晴れがましいことに慣れない身にとって授賞式は、田舎の祖母の方針により学問を奨励してくれた母や、研究生活を苦労して支えてくれた家族と親類、さまざまなことを教えて下さった恩師や同僚、先輩、友人など周りの人たちに、ようやく恩返しの代わりのようなことができる機会に思えました。歴代の錚々(そうそう)たる受賞者のうち、最初の受賞者は早大で言語学を教えて下さった先生でした。この賞は、四五歳までの研究者を対象とするものですから、私は、この先もっと頑張れという励ましと受け止め、さらに精進していかなくてはと気持ちを新たにしました。

私にとっては晴れやかすぎる東京ドームホテルでの授賞式には、私が作った「早大」の略合字を笑った、あのサークルの同期や、母、家族が来てくれました。子供たちは、賞よりもショーで、眼下でくり広げられている戦隊ショーに、ガラス窓から見入っていました。

10

麺（めん）、混む

——時代とともに「常用漢字」も変わる

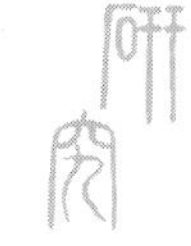

文字政策の力と怖さ

私は二〇〇七年から二〇一〇年にかけて、常用漢字表に字を追加するために、文化審議会の国語分科会の委員に任命されました。現代の漢字には問題が山積していて、自分の研究が直接、社会貢献（こうけん）につながりうる機会なので引き受けました。

それぞれの省庁には独自の目的とこれまでの経緯という動かしがたいものがあります。政策でこれが国の基準だと決めてしまうと、一挙に社会を統制するだけの力をもちます。七割ほどの実勢を標準として位置づけてしまえば、三割を切り捨てかねません。逆に、だれもついてこないような規則であっても、「悪法も法」で従わざるをえないものです。

いずれにせよ、言葉や文字の変化の息の根を止めてしまえば、社会の変化とともに改良されていく余地はなくなります。時代遅れとなった漢字は、社会のお荷物にしかなりません。それだけに、政策の力をよく自覚し、自身の考える最適解が人々のために間違っていないか常に真剣（しんけん）に自問しながら関わり寄与していく必要があります。

委員とは、「委ねられた（人）員」と読めるように、多くの人の代表で、専門的な知見を発揮することが求められています。職掌（しょくしょう）や役割、そして委任する人たちの期待することを理解した上で、自分の理想もできるだけ実現し、社会の要請にこたえられるようにと努めます。その成否は、同時代の声や声なき声、そして後世の人たちが判断することでしょう。

さて、その委員会では、「腺（せん）」というあの個人文字の国字が三〇〇年の時を経て、大勢の理解と使用を根拠としてついに改定「常用漢字表」に、ほとんど異論を受けることなく全国共通の字として公認されていく過程を目の当たりにしました。感慨深いものがありました。

戦後間もない頃は、料理や食材のメンを表す字など、当用漢字表に入れる余裕はありませんでした。しかし次第に世の中で必要とされて使用頻度を上げていき、「麵」は「麺」という略字とともにさまざまな方面でしばしば使われるようになりました。社会を構成する人々が必要としたわけです。じつはメンに関しては、当用漢字表の改定の際に、印刷会社での使用頻度数から、印刷標準字体とされたことのある「麵」のほうで採用しようという方針が固まりかけていました。しかし、漢字というのは、一部の専門家や漢字が非常に得意な人の満足のためだけにあるのではなく、皆の文字であるはずです。そのため私は委員の一人として、「麵」を採用するのは、現代の一般の日本社会には適さないと考えました。

「麥」が「麦」の旧字体という関係すらほぼ意識されなくなっており、両方が出回っていることによって何となく「走」のような似た形で覚えてしまっている人が多い。随所で確かめられたそういう現実をふまえてのことで、同じ考えの委員も複数いましたが、これを通すのには労力を要しました。答えのない世界で、より多くの人々の幸せを考えながら答えをつくっていかなくてはならない。人びとの心からはなれた、実践できない政策ではただの砂上の楼閣、机上の空論となってしまうのです。

もちろん、委員会で私の考えがすべて通ったわけではありません。これらの決定も後の世に受け入れられなくなれば、次の役目を担った人たちが変えていくことになるでしょう。歴史の審判は未来の人たちに託されているのであり、それはあなたが下すのかもしれません。

道が「こむ」？

もう少し、審議会の話を続けましょう。みなさんは「道がコむ」という時のコの漢字表記は、何が思いうかびますか？　大学生では「混む」と書く人が毎年九〇パーセントを超えていました。一方、海外から来た留学生たちはほとんどが「込む」と書くのです。

じつは、語源からは「込む」なので、常用漢字表もこれしか認めていませんでした。しかし、一〇〇年ほど前から「混む」が現れており、「混雑（もとは混ざり合う意）」のコンという発音と意味とが「こむ」のイメージと結びつき、戦後は新聞、日本語教科書を除いてすっかり「混む」の使用が定着していたのです。

そこで、常用漢字表の改定を行う審議会のワーキンググループに相当する会で、音訓の追加を議論する際に提案してみました。すると「確かにそれはそうだ」ということで、「混」に「こ（む）」という訓読みが追認されたのです。皆の使用が、追加を後押ししてくれたわけです。常用漢字表では「混む」は×(バツ)だという、九割以上の人をおとしいれる問題も、そうして解消できました。もちろん、国字を用いた本来的な表記「込む」も依然として正解です。

ほかにもこの類として、美化語の「お腹(なか)」、関東に根強い「家(うち)」も続けて提案してみましたが、これらはフォーマルではないなどの理由から採用されませんでした。しかし、一人一人が使い続けていけば、次の改定で、どうしてこんなによく使う一般性の高い表記に対する訓読みがとりこぼされていたのだろうと、追加される日が来ると思います。常用漢字表はそもそも「目安」を示す柔軟性をもつ規則なのです。

もし人を束縛（そくばく）するだけのルールがあれば、問題点をしっかり考えたうえで、変えていく必要があります。漢字は表現やコミュニケーションのツールですから、やはり人間を中心に考えるべきだと思います。会議が苦手で出不精（でぶしょう）の私ですが、頼まれたからには自身にできることから改善していきたいと思っています。

当て字

こうして私は大学や審議会、委員会など多くの仕事を抱えていましたが、じつは同時に複数の仕事を抱えると、逃避（とうひ）行動のように何かに集中できるので、精神的に楽だし、つねにどれか一つがはかどることもあります。

辞書づくりはしばしば共同作業となり、当て字辞典では私がその中心となったので大変でしたが、勉強になったものです。当て字については小学生の頃から扱っていたためわかった気になっていましたが、改めてきちんと向き合うことで、自分は当て字というものが何なのかよくわかっていなかったことに気付きました。こういうことは、二冊目の新書として『訓読みのはなし　漢字文化圏の中の日本語』を書くなかでも、訓読みに対して気が付きました。世の中の人たちも、当て字や訓読みという用語の概念は相当曖昧(あいまい)で、さまざまな対象に使っているはずです。それらを正面から検討する中で初めてわかったことが多かったのです。

『当て字・当て読み　漢字表現辞典』と題されたそれは、三省堂の社内外の多くの人の手を借りて、二〇一〇年に刊行されました。中学生の頃に編んで以来の当て字辞典です。ただし、あの当時は辞書にすでに載(の)っている「正しい当て字」を集めようとしていました。それも外来語に限定していました。「秋桜(コスモス)」は皆が認めても許せなかったし、辞典がまだ載せていないと言って無視していました。

しかし、この辞書作りについての番組の撮影に来たNHKのディレクターと話すうちに、「秋桜」はただの外来語に対する熟字訓の当て字ではなく、季節や桜という要素が日本人の心を動かした、ということに気付きました。その収録で、作詞家の阿木燿子(あきようこ)さんからうかがえた、作詞に用いた当て字についてのさまざまな秘話も刺激的でした。大量の情報を選り好みせずによく観察し、分類し、一覧できるように配列し、それらを改めてじっくりと考察することで、たくさんのわかっていなかったことをさとることができました。辞書に育てられた私が、辞書の世界を一旦飛び出し、また戻ってきて今までなかった辞書を編んだわけです。

テレビ・ラジオ番組

この頃、「当て読み」も初めて位置づけてみました。当て字も、当てローマ字「〇〇でR(あーる)」、当てカタカナ「なっトク」(納得＋おトク(得))、当て数字「4649(よろしく)」などまで範囲を広げて、なつかしい音楽の歌詞や昔読んだ本や漫画(まんが)からもずいぶん収めました。漫画やアニメ、ゲームに詳しい人たちにも助けてもらいました。

たとえば、「まじめ」は江戸時代に漢籍の「真面目」が当てられ、「まじ」に短縮されて昭和に「本気」や「真剣」などが当てられた、といった表記の歴史もわかってきました。「本気(まじ)」は、一緒に韓国(かんこく)に行ったあとに病に倒れてしまった高校の友人の形見としていただいた漫画『めぞん一刻』から引用させてもらいました。

このテーマではテレビ番組も多く制作していただきました。あまりテレビには出ないようにしているのですが、意義があると感じたり、この方も出るならばと、つい引き受けてしまうことがあります。普段と違う独特な高揚感のある場所で、しゃべりのプロと話していると、何かしら発見があるものです。奇遇にも、昔感動した『時をかける少女』をお書きになった筒井康隆氏にも、作品の当て字について裏話をうかがえました（放送ではだいぶカットされていました）。

ラジオ局でも、当て字について、女優の浜美枝さんとお話をする僥倖にも恵まれました。中学生時代に大好きだった映画「無責任シリーズ」のマドンナです。そう打ち明けると、「まあ」と驚かれ、握手をして下さいました。ラジオは工夫すれば意外と漢字の話がうまく電波に乗ります。芸人さん、アナウンサー、作家の方々からも直に表現意図をうかがえました。

私たち研究者は、研究成果を還元することによって社会に貢献しようと取材を受けるわけですが、取材をされながら、逆に取材することも常なのです。応用力と瞬発力も養われます。

変化を続ける仕事

五十代に入ると、仕事の質が急激に変化しました。たとえばお寺や神社から、あるいは書道や戸籍や俳句の雑誌から、元素を販売する会社から、思わぬ依頼をいただいては、その分野について勉強をし直し、新たな視点から漢字を見直し、発見に驚かされる毎日となっています。なにごとも、関わるからにはしっかり勉強して期待にできるだけ応えていくことが大切で、そうすればその実績に対して次にさらに責任の重い仕事が待っているものです。戸籍や医師のカルテにさえ、使う漢字やフリガナで人々は悩み困っているので、解決に向けて審議会や学会のなかで一緒に悩み、考えています。

四半世紀ほど続けてきて、多いときは日に二校、週に三校かけもちで、週四コマも担当していた非常勤講師ですが、本郷（ほんごう）にある東京大学の勤めが完了したところでいったん終わりとなりました。できた時間を他のことにふり向けているうちに、また講師のお誘（さそ）いをいただいたので、気分を新たに再開しました。校風の違いはいつも新鮮で、お茶の水女子大学でも百名以上の受講生たちの漢字への濃厚な意識から逆に教わることがたくさんありました。

思えばここまで書いてきたとおり、私は高校までに、根っこの部分を自然と作っていました。学生時代を終えて、二十代終盤（しゅうばん）は大学教員、三十代はほぼ研究所員、四十代以降は再び大学教員と、所属も立場も変わりました。三十代は充電期間だったようにも思えます。

大学院生から母校の助手になってそのまま専任講師という時代がちょうど終わり、間の悪いことのように感じていましたが、結果としては、行く先々でまったく異なる文脈の中で漢字が議論されていることに直面し、おのおのの価値観が相対化でき、色々な人の立場がだいぶ理解できるようになったので、今ではありがたいことだったように思っています。

若いころに比べて神経が図太くなったのは、価値を信じる研究を推進しなくてはという思いと、学生時代の神経症のような苦しみを克服したこと、そしてさまざまな不条理や思わぬ修羅場に直面した体験によるものです。

周りを見ると、コツコツやりつづけた人の方がのびているようです。もう一つ大事なのは、感度の良いアンテナを立てることです。進んでいく方向や、努力の仕方、他者と接する姿勢が根本的に間違っていると、結果に結びつきにくいからです。

人の幸せのために

二〇一一年三月一一日、大きなゆれによって私の研究室では書棚がすべてたおれ、すえ付けの書棚からも重たい本などがたくさん落下しました。

数日後に大学に行き、扉をなんとか押し開けて愕然としました。私はあの時、会議があって外出していて、ゆれを感じ、「東北で大きな地震が発生した」という話を聞いて、火の元や家族が心配になって、家まで一時間半ほど重たい荷物をかかえて歩いたのでした。

東日本大震災と名付けられたあの大地震の日、もしも学生担当教務主任の会議が入っておらず研究室にいたならば、私は間違いなく重たく固い書籍の下敷きになっていたところでした。生きている限り、人のためになることをしていかなくては、と改めて誓った瞬間でした。

かつて東北大学で学会があったとき、仙台駅前から路線バスで終点まで行き、宮城県名取市の閖上地区を歩いたことがありました。のどかな漁村で、食堂で海産物をふんだんにのせた閖上御膳をいただきました。その閖上は、東日本大震災で起きた津波によって甚大な被害を受けました。大震災後の二〇一五年に東北大学から集中講義をたのまれ、助手と修了生と再び閖上地区におもむくことができました。しかし、更地のようになったその地に、言葉を失いました。前に歩いたときとの変わりように、涙を抑えられませんでした。

閖上の「閖」という字は、伊達の殿さまがつくったという伝承が信じられています。しかしじつは一〇世紀末、中国の遼時代に編まれた字書に大水、水害と同じ発音と注記されていました。平安時代に東北地方で起きた貞観の大地震での津波の悲劇を、門に水が入るというこの会意文字で伝えようとした先人がいたのではないか、と思いいたったのです。

こういう漢字にこめられた情報を読み解いて、世の中に伝え、ときに警告をし備えをうながしていくのも研究者の務めであり、重要な役割ではないかと思っています。それとともに漢字は、人を幸せにするためのものであってほしいと願っています。

おわりに

本書を書くに当たり、すでに昔となってしまった時のことまで思い起こしながら、これまでの厚さ四〇センチもの紙の束や、ノート、パソコンに残してきた山のようなメモを見返し、関連する資料を確かめ、親や兄が昔持っていた資料も探したり買い直したりしました。

さらに、期せずして「カンワジテン」の世界へいざなってくれたクラスメイトたち、過去のニュージーランドの新聞記事の追跡(ついせき)のために紙面の切れ端の日付の特定に尽力して下さった朝日新聞社の比留間直和さん、大学以降のことを知る、安定した研究生活を支えてくれた妻や、おおらかに育ててくれた親などにも、できるかぎり確認をして、記憶違いが残らないように努めました。この本を企画してくださった岡本潤さん、編集してくださった塩田春香さんに深く感謝しています。

この本に盛りこめなかったできごとはまだたくさんありますが、読んでいただく、次の世代に伝えるからには事実でないことを活字にするのは嫌なので、時間をかけて書き上げました。例によって効率が悪いのですが、規定の枚数の三倍くらい書いてから少しずつ削って推敲し、大切なところを残しました。

思えば小学生の時に、その名を小耳にはさんで偶然に開いた漢和辞典から、私の運命は決まってしまいました。金石文や『古事記』のような古典からネットやＬＩＮＥまで対象を広げつつ、漢字の研究はもちろん続けています。対象を広くしたりせまくしたりをくり返し、テーマを見つけながら自分の領域を形成してきましたが、一貫してその中心には漢字というつかみ所のない文字があったのです。今は、漢字や言葉について、たくさんの学生や社会人の皆さんにお話をする毎日です。漢字が好きで来てくれる人も増えました。日々何かに追いかけられているものの、なりたかった大人に、だいぶなれた気がします。子供の頃の疑問もだいぶ解けました。

研究してわかったことをいろいろな人たちにお話しする機会は、幸いなことに増え続けています。文字や言語に関する知識だけでなく、考え方、感じ方についても切磋琢磨しています。そこでは、準備したとおりにいかなかったり、良い意見や流れが出てきたのに機転をきかせられなかったりすることもあり、反省することしきりです。大学では社会科学部と研究科（大学院）のほか、文学部、教育学研究科、日本語教育研究科など、さまざまな科目を担当しつづけ、多様性の中から見出される漢字についての発見に驚かされつづけています。

自分が楽しいと思ってのめりこんで物知り博士を目指したわけですが、趣味のように勉強を続ける中で次第に漢字そのものだけでなく、漢字の多様なダイナミクスやメカニズム、本質や背景まで解明したくなり研究を進めました。さらに仕事が広がる中で、つたないながら世のため、人のためにとも考えられるようになりました。

教育活動は研究活動と連続することがあります。教え子からはある漢字をよく研究して博士論文を提出してくる人たちも現れ、研究指導をする中で私自身も、研究の内容はもちろん進め方など、学ぶところ大です。私が知りたかったこと、思いつかなかったことまで解明してくれます。将来を担う力ある若手を育てていくことの大切さと責任も感じています。

研究したことは、他の研究だけでなく、政策や教育などに応用していくことも肝腎です。研究を世に広めるためには、自分の一番の専門だけでなくそこを中心に視野を広く裾野を大きくして、無理なく応用をしていく姿勢も必要となります。文部科学省の文化庁や法務省などで働く皆さんや分野の違う研究者の皆さんと一緒に決まりをつくるのも、その一環です。

研究が足りないときには、それを補うように時間をつくって調べたり考えたりします。電車の中でも、散歩している途中でも、ときには雑談しているとき、寝ているときも、ヒントに出会えたり、アイデアがうかんだりすることがあり、カメラやメモは手放せません。

　ですが、世の中のためと考えて政策に反映させられたことが、自然に広まっていくとは限りません。漢字のある一つの面に束縛（そくばく）されて不自由になってしまっている状態はあちこちに見られます。たとえば、自然な運筆として古来あり、文化庁も認めているのに「木」を「木」とはねたら×（バツ）というのもその一つです。多様性に対するそうした無意味なしばりから解き放たれるには、たとえば漢字辞典や国語辞典に、政策で決まったもっともなこと、研究で判明したことをわかりやすく盛りこんでいく必要があります。

　辞典の編纂（へんさん）は細かく、字数も多いので大変ですが、他の委員の先生方やプロの編集者の皆さんと一緒に理想に近づけていく作業はかけがえのないものです。小学生向けの辞典には、子供たちだけでなく保護者、教員にも知っておいてほしいことを、中学生向けの教科書にも同様に知っておいてほしいことをできるだけ載（の）せるように努力しています。例をあげると、くり返し記号を排除した「様様（さまざま）」のような表記は現実ばなれしていて誤解を生み出しているので、「様々」に切り替えることも推し進めました。

　日本漢字能力検定協会（漢検）の方々とは、とくに公益法人となってから、検定試験の内容、誤字とする基準など採点方法について、事業の趣旨をふまえつつ意見を交換してきました。

データを活用した共同研究も行っています。また、一級や準一級に合格された知り合いの方々は、純粋で楽しい方ばかりです。講演にうかがうと、熱心さに圧倒されます。

私は本来、めんどうくさがりで出不精な人間ですが、これまで縁遠かった世界にもどんどん飛びこんでいって、自分が学んできたことを伝えるとともに、さまざまな人たちの意見をうかがっていこうと思っています。一度行ったところだって、そのあとどんどん変わっているに違いありません。もちろん話を聞かせてくださる人もです。この世で、まったく同じ出会いは二度とないのですから。同じように資料も見たことのないもの、名前さえ知らないものがまだまだあちこちに眠っています。

漢字は森羅万象に関わり、魅力だけでなく魔力のようなものまでもっています。日本人の心性として非常に多くの人が漢字に愛着を感じ、そして漢字で苦しんでいます。私は、漢字は人を苦しめるための道具であってほしくない、矛盾に満ちた世の中にあっても、漢字は人を幸せにするためのものであってほしいと願っています。

執筆の仕事や講演、講義を通じて出版界や新聞界の方々に接する機会も多くあります。編集や校閲、紙面審査に関わる文字のプロから教わることが多々あります。漢字の表記の統一は、私も校正を習った高校時代には重要な観点だと感じていました。しかし、今ではその文脈ごとに最適な表記があり、読者を混乱させないかぎり、全体の統一よりも優先されてよい原則だと考えるに至りました。

私はそういう現象を語感にならって「文字感」「表記感」などと名付けていますが、それらは、読み手の語のニュアンスを左右するほか、平仮名が続くことを回避して読みやすさを生むこともあるのです。作家や編集、校閲のプロよりも、むしろ一般の人たちの方が臨機応変な配慮を表記で実現しているものなのです。せまい社会でのローカルルールのせいで自縄自縛となって窮屈な文字に苦しむ人は少なくありません。まずは漢字よりも人間が優先されるべきです。難しすぎる漢字に抑圧されるのではなく、漢字を効果的に魅力を活かして効率よく使いこなすのです。そうした例をいくつかあげましょう。

日本医学会に、医学の用語の改善について一緒に考えてほしいと呼ばれたときには、「うつ」は常用漢字に従って「鬱」と書くのが本当に良いのかどうか考えるなどして、皆が困らないような専門用語にしていくことが大切だと話しました。日本手話学会にも招いていただき漢字についてお話をしたのですが、逆にそこでは耳が聞こえにくい聾の方々から、意味やニュアンスを端的に伝えるという漢字の利点をいくつも教えてもらいました。一方で「障害」を昔ながらの「障碍」とか「障がい」と書かれることが、かえって目立ってしまい迷惑と考える当事者の多いこともじかに教わりました。

　知りたいことはたくさん残っており、研究はまだ続けていかねばなりません。これからの皆さんに大いに期待しています。大学院では、論文を主査として審査し、院生に修士号や博士号を出しています。副査を頼まれれば中国や日本の他大学にも出向いています。優れた研究論文を書いた若い研究者を奨励する漢検の事業では審査員を担当しています。日本語学会や日本漢字学会などでは評議員、理事を拝命し、自分がかつてしていただいたように、後進をはげますこともしています。若い人たちには、作られつつある各種のデータベースも利用して、どんどん実証とそれに基づく論証を進めていってもらいたいと願っています。

　諸橋先生に恩返しができればとの思いもあって、漢字文化理解力検定に、また文字を楽しもう、方言漢字を守ろうとする市民の方々との協働活動にも参加しています。小さな話を種として立派な研究を咲かせてくれる人たちを見てはうれしくなっています。

　グローバル化が進展する現在、研究にも国際性と学際性が重要です。学会や講演会など様々な交流のなかで日本だけでなく中国、韓国、ベトナム、フランス、スペインなどの学者と話すと、私の研究の方法論を採り入れ実践してくれる人も現れだしました。日本人の研究は概して緻密ですが、広がりに欠けるきらいも一部にあるのに対して、中国の人たちの研究はなかなか大胆なものがあります。もちろんこちらも学ぶ点が多々あり、同じことを彼我で始めていたと気づかされることもあります。

中国の大学の先生方とも研究を通じて親しくなり、よく招いていただくようになりました。浙江省の大学で「鬱」を板書したら学生たちがどよめき、「日本人が作った漢字ですか？」とたずねられました。もう同音の簡体字で「郁」としか書かなくなって久しいのです。

また、「寿司」や「珈琲」の表記のゆれと原因について紹介してみたところ、中国人の女性教員から「表記の不統一は経済学の原則から見て効率的ではない」と指摘されました。なるほど、伝統的な中国の傾向と、共産主義の経済理論の教えに沿った見方なのでしょう。

しかし、日本では、そういうマクロな方針よりも、ミクロな個別のニュアンスの違いこそがマーケティングに直結しており、それぞれの表記が購買意欲と消費行動につながっていることに気付くことができました。「すし」か「寿司」か「鮨」か、「コーヒー」か「珈琲」かなど表記によって商品と価格のイメージも変動します。これについては日本経済新聞の方が講座を設けてくださいました。そうした思考は「行動経済学」という分野に該当すると、帰国後に政経学部出身の先輩から教わりました。

漢字は今も変化を続けています。漢字は擬人化されやすい文字です。漢字は英語では

Chinese character、つまりキャラクターであり、個性があるのです。そしてまた、「言葉は生きている」とよく言われます。ですが、生きているのは人間のほうです。血の通った体と日々うつろっていく心を持った私たちが、言葉や文字を活き活きと使えばそれらは生動感をもち、そうでなければ駄目（だめ）なものになっていく、そういうものです。主役は、心と体を持った人間であるはずです。

私は子供の頃は漢字がおもしろくて仕方なかっただけでしたが、途中から夢を持つようになりました。学者になりたくなったのです。「好きこそものの上手なれ」、係り結びを使ったこの慣用句のように、生まれもった適性や才能が活かせる仕事ができれば、まさに天職となるでしょう。自分に向いているものについては、知ることが楽しく、もっと知りたい、覚えていたいと自然に欲張り始めるものです。すでに知っていることを使って考える、もっと知りたくなって調べる、このくり返しです。謎を追いつづけるのです。それを人々に教え伝え、社会に役立てられたら、きっとバランスのとれた研究生活となります。

私の場合は、ほぼすべてのエネルギーを好きなことに注ぎこめる仕事だったので、幸せに感じています。趣味と研究と生活を結果として一致させられたわけです。そうしてあらゆる人と物事が師となっています。漢字から言葉、社会、そして心を持った人について知りたくなったのです。

「始めてしまえば、もう半分」という諺が韓国にあります。「千里の道も一歩から」よりも、こちらの諺のほうがためこまずにすぐ着手したくなりませんか。「漢字は奥深い」なんて感慨にひたっている時間はありません。もし今、何かとても辛いことがあったとしても、それを興味のあることへのエネルギーに変えて乗り切れば、必ず時間は過ぎていき、それが実になる時がきっと訪れます。私も、新型コロナウィルスが蔓延してから、慣れないオンライン講義に苦しみましたが、研究面では充電に努めています。

対象は何でもかまいません。何時間でも向き合えるものがあれば、それはきっと自分に合っています。過去のことまでよく研究して、現在、そして未来へと自分らしくつなげていく心ある若者が出てくることをずっと待っています。どんなこともその「一人」がいるかどうかで変わります。その一人とは、あなたかもしれません。自分に自信をもって自分に合った、いつか人のためになるかもしれない仕事を見つけていって下さい。大人になったあなたに、どこかでお会いできることを楽しみにしています。

二〇二二年一月　都内の片隅にて

笹原宏之

笹原宏之
1965年東京生まれ．早稲田大学社会科学総合学術院教授．博士(文学)．ティーチングアワード受賞．日本語と漢字の研究者．
著書に『日本の漢字』(岩波新書，2006年)，『当て字・当て読み 漢字表現辞典』(三省堂，2010年)，『訓読みのはなし』(角川ソフィア文庫，2014年)，『方言漢字』(同，2020年)，『謎の漢字』(中公新書，2017年)，『国字の位相と展開』(三省堂，2007年，第35回金田一京助博士記念賞，第11回立命館白川静記念東洋文字文化賞受賞)など多数．
漢字に関する政策作り，教育，学会，教科書・辞典編纂，普及啓発の活動にも携わり，『漢字博士がマンガで解説！ 漢字が好きになる!!』(小学館，2021年)の監修なども手がける．

漢字ハカセ，研究者になる　岩波ジュニア新書 950

2022年3月18日　第1刷発行

著 者　笹原宏之(ささはらひろゆき)

発行者　坂本政謙

発行所　株式会社 岩波書店
〒101-8002 東京都千代田区一ツ橋 2-5-5
案内 03-5210-4000　営業部 03-5210-4111
ジュニア新書編集部 03-5210-4065
https://www.iwanami.co.jp/

印刷・理想社　カバー・精興社　製本・中永製本

ISBN 978-4-00-500950-3　Printed in Japan

岩波ジュニア新書の発足に際して

きみたち若い世代は人生の出発点に立っています。きみたちの未来は大きな可能性に満ち、陽春の日のようにひかり輝いています。勉学に体力づくりに、明るくはつらつとした日々を送っていることでしょう。

しかしながら、現代の社会は、また、さまざまな矛盾をはらんでいます。営々として築かれた人類の歴史のなかで、幾千億の先達たちの英知と努力によって、未知が究明され、人類の進歩がもたらされ、大きく文化として蓄積されてきました。にもかかわらず現代は、核戦争による人類絶滅の危機、貧富の差をはじめとするさまざまな人間的不平等、社会と科学の発展が一方においてもたらした環境の破壊、エネルギーや食糧問題の不安等々、来るべき二十一世紀を前にして、解決を迫られているたくさんの大きな課題がひしめいています。現実の世界はきわめて厳しく、人類の平和と発展のためには、きみたちの新しい英知と真摯な努力が切実に必要とされています。

きみたちの前途には、こうした人類の明日の運命が託されています。ですから、たとえば現在の学校で生じているささいな「学力」の差、あるいは家庭環境などによる条件の違いにとらわれて、自分の将来を見限ったりはしないでほしいと思います。個々人の能力とか才能は、いつどこで開花するか計り知れないものがありますし、努力と鍛練の積み重ねの上にこそ切り開かれるものですから、簡単に可能性を放棄したり、容易に「現実」と妥協したりすることのないようにと願っています。

わたしたちは、これから人生を歩むきみたちが、生きることのほんとうの意味を問い、大きく明日をひらくことを心から期待して、ここに新たに岩波ジュニア新書を創刊します。現実に立ち向かうために必要とする知性、豊かな感性と想像力を、きみたちが自らのなかに育てるのに役立ててもらえるよう、すぐれた執筆者による適切な話題を、豊富な写真や挿絵とともに書き下ろしで提供します。若い世代の良き話し相手として、このシリーズを注目してください。わたしたちもまた、きみたちの明日に刮目しています。（一九七九年六月）

936 ゲッチョ先生と行く 沖縄自然探検　盛口 満

沖縄島、与那国島、石垣島、西表島、宮古島を中心に、様々な生き物や島の文化を、著名な博物学者がご案内！〔図版多数〕

937 食べものから学ぶ世界史 ―人も自然も壊さない経済とは？　平賀 緑

食べものから「資本主義」を解き明かす！産業革命、戦争…。食べものを「商品」に変えた経済の歴史を紹介。

938 国語をめぐる冒険　渡部泰明・平野多恵・出口智之・田中洋美・仲島ひとみ

世界へ一歩踏み出せば、新しい出会いと成長への機会が待っています。国語を使ってどう生きるか、冒険をモチーフに語ります。

940 俳句のきた道 芭蕉・蕪村・一茶　藤田真一

古典を知れば、俳句がますますおもしろくなる！ 個性ゆたかな三俳人の、名句と人生、俳句の心をたっぷり味わえる一冊。

941 AIの時代を生きる ―未来をデザインする創造力と共感力　美馬のゆり

人とAIの未来はどうあるべきか。「創造力と共感力」をキーワードに、よりよい未来のつくり方を語ります。

942 親を頼らないで生きるヒント ―家族のことで悩んでいるあなたへ　コイケ ジュンコ　NPO法人ブリッジフォースマイル協力

虐待やヤングケアラー…、子どもはどのようにSOSを出せばよいのか。社会的養護のもとで育った当事者たちの声を紹介。

943 **数理の窓から世界を読みとく**
―素数・AI・生物・宇宙をつなぐ
初田哲男
柴藤亮介 編著
数学を使いさまざまな事象を理論的に解明する方法、数理。若手研究者たちが数理を共通言語に、瑞々しい感性で研究を語る。

944 **自分を変えたい**―殻を破るためのヒント
宮武久佳
いつも同じメンバーと同じ話題。親に勧められた大学に進学し、楽勝科目で単位を稼ぐ。ずっとこのままでいいのかなあ？

945 **ヨーロッパ史入門** 原形から近代への胎動
池上俊一
古代ギリシャ・ローマから、文化的統合体としてのヨーロッパの成立、ルネサンスや宗教改革を経て、一七世紀末までを俯瞰。

946 **ヨーロッパ史入門** 市民革命から現代へ
池上俊一
近代国家の成立や新しい思想の誕生、二度の大戦、アメリカや中国の台頭。「古い大陸」ヨーロッパがたどった近現代を考察。

947 **〈読む〉という冒険** イギリス児童文学の森へ
佐藤和哉
アリス、プーさん、ナルニア……名作たちは、本当は何を語っている？「冒険」する読みかた、体験してみませんか。

948 **私たちのサステイナビリティ**
―まもり、つくり、次世代につなげる
工藤尚悟
「サステイナビリティ」とは何かを、気鋭の研究者が、若い世代に向けて、具体例を交えわかりやすく解説する。